THE SCRIBNER FRENCH SERIES

General Editor, EDWARD D. SULLIVAN
Princeton University

l'exil et le royaume

ALBERT CAMUS

🌀 l'exil et le royaume

nouvelles

edited with introductions,
notes, questionnaires, and
a vocabulary by
B. F. BART
SYRACUSE UNIVERSITY

CHARLES SCRIBNER'S SONS
NEW YORK

contents

introduction

"Saint Camus, pray for us," it was once observed, has been the frequent plea of many Americans. Albert Camus' reputation, international and unchallenged, has nowhere been higher than in the United States. In this country, high school and college students, young men and women at the beginning of their careers, and older, more mature readers have all found that this contemporary Frenchman put their more profound questions into new perspectives for them. Man's isolation and his need for brotherhood, his alienation from a universe at best "tenderly indifferent" and his deep need to know that he is at one with it, his quest to discover and be himself in a society which threatens to crush him and may at will judge and put him to death, his desire to call upon a God who is unknown and who seems to remain silent, in short Man, his universe, the society his fellow men have created, and his concept of a God were the recurrent, obsessive themes of Camus as they are of his century. Those of a deeply religious persuasion have found that this agnostic is never far from their position and they have been grateful for the respect with which he has treated their beliefs. Those in greater doubt, on the other hand, have admired the integrity of a writer unafraid to state his revolt against a "creation in which children are tortured." He has been among the clearest spokesmen of our age, a writer whose concerns and whose books have always been noble. *L'Exil et le royaume* was the last original work which he published, what was, unbeknownst to him, to be his final completed statement.

Camus was born in 1913 near the Algerian city of Oran, which is the setting of many of his works. He was in his forties while writing the stories which make up *L'Exil et le royaume* (1957) and nearing fifty when he died in 1960 in a foolish and unnecessary automobile accident. His parents were extremely poor. His father, a day laborer, was killed during the First World War leaving a widow and two children, of whom Albert was the younger. His mother, a Spaniard, was illiterate and deaf, and suffered from a speech impediment. She "thought with difficulty," he was later to say. But she was the center of his affections, the one person who satisfied his need for love. Born in Algeria of a poor family and living among the poor in a "monde de pauvreté et de lumière," he early learned the dignity of that kind of poverty which expects nothing and need ask for nothing in a Mediterranean world where the sun is free. When he was ten, a scholarship permitted him to attend the *lycée*. Meanwhile he was growing up as a healthy young animal whose adolescent life revolved around the two afternoons free from school when he could play football, swim, box, and take part in other sports. In "La Femme adultère" and "L'Hôte" in this collection, he will speak of what it means to have a healthy body and particularly of what swimming meant to him, a symbol of purification and a freedom from all that daily life has of the petty and burdensome.

Algeria, where all of this was happening to Camus, had been French territory for some eighty years when he was born in 1913; the area was to be gaining independence from France during the last years of his life. Along a thin stretch of coast lived the French colonists, not quite French but certainly not Moslem Arabs, who made up much of the population here along the sea and were almost the only inhabitants in the mountains and desert of the interior. Algeria, like the American Southwest, is a world of open spaces and a beautiful coast, with everywhere the glory of an invincible, inexhaustible sun, as Camus would phrase it. Growing up here he found that the Berber and the Arab were never strangers to him, to use a deprecatory word from his vocabulary, which was to recur again and again. North Africa and its inhabitants, French and Arab, are constantly present in his work. They are the indispensable setting for *L'Etranger* and *La Peste* as well as for four of the six stories in *L'Exil et le royaume* and many of his other works. Everywhere Africa recurs as an incarnation of the pure life under its sun and in its wild and free desert where people, he wrote while still quite young, worshipped and admired the body and where the grandeur of Man would one day perhaps finally find its true visage. Camus would seek to depict it.

Above all, French though it was, Algeria was not Europe, with its dark and dreary sadness, the home of shame and of anger, as he describes it in "La Pierre qui pousse" from this collection. Camus grew up close enough to the culture of France to know and to understand her, but far enough from her to be able to be free of her traditions when they hampered what he came to understand as the real goals of life. He was twenty-three when he first visited France and came to know her intimately. It was with love that he was French and he daily risked his life for her during the years of the Second World War; but it was an open-eyed love, aware of her grandeur yet deeply anxious over the turn that twentieth-century life was taking there.

With the 1930's the young adolescent was growing into manhood, still largely a healthy animal rejoicing in the sun and its warmth within his vigorous body. Then, when he was about twenty, pulmonary tuberculosis struck. He was a public ward in a clinic, striving now only to keep alive. Where his joy had been in his nascent manhood, now fear of death and shame over his weakness led to revolt against the condition of Man, who is born to love his life and yet is condemned from his birth to die. Supporting himself by odd jobs, he gained admission to the University of Algiers, where he majored in philosophy from 1932 to 1936, when ill health forced him to abandon his studies. Before his illness, he had felt himself filled with infinite energies, but he had found only physical outlets. Now a tremendous intellectual life came to fruition within him; it lasted the rest of his days. A journalistic mission let him study the Berber tribes in the mountains south of Algiers. His reports, accurate, honest, and sensitive, let him display and tell to others his passion for Justice as, remembering his own childhood, he felt understanding and compassion for human misery.

Camus was not now building, and he never did build, a philosophical system. His truths were, instead, deeply felt personal experiences, intuitive and accepted with all the passion he had learned to revere under the Mediterranean sun. He never sought to be a cold and dispassionate framer of abstractions; his concern was rather with what the concrete experience of being alive and being a man might be.

To be sure, lengthy studies of Saint Augustine, like himself an African, had made him deeply concerned with the problem of evil, but his involvement was at the level of being and living and experiencing. There was the dangerous invitation, deep within him, to abandon this difficult task of understanding. The temptation let him know easily how his fellow men could so readily adopt a protective shell of indifference; but this was an obvious trap which he knew he must avoid. For only understanding, perhaps intuitive as much as rational, could establish the bonds he knew he must build between his own pained individuality and that of other men, whom he could assume as tortured as himself. He had no need of metaphysics to find within himself the fundamental assertion that life had an ethical meaning, that merely to be alive implicated Man at once in the duty to rehabilitate this life and to seek whatever happiness lay within it. The corollary was the counter feeling that the ultimate crime against man was to do him violence, to repress him, even to consider killing him, no matter what the judicial apparatus erected to conceal the basic murder.

Out of these years came *Le Mythe de Sisyphe* and *L'Etranger*, both published in 1942. The former work provides the analytic framework; the latter is the story of Meursault, the man who lives as a stranger among men, neither touched by them nor touching. *L'Etranger* rapidly brought Camus fame as probably the most significant European writer of his generation; it was this novel which earned him the Nobel Prize in 1957. The story is the education of Meursault, or rather the revelation to him that no man is an island, a stranger either to men or to the universe. In complex circumstances Meursault finally comes in the closing pages to an awareness that he must accept his execution for a crime he has committed; he must become a willing participant in a ritual of death. And he finds the peace of spirit to accept being a victim when he discovers alone in his cell that he is not a stranger to life and the universe, but rather at one with the tender indifference of the cosmos. By a total surrender of himself to the timeless beauty of the world, coupled with a withdrawal within himself to find himself there, Meursault can face even death sure that he has discovered his place as a man in the life of Men.

At this stage in Camus' life, he could imagine only that a man who had made such a discovery must consecrate it with his death.

La Peste (1947), already first sketched before *L'Etranger* was published, carried Camus forward another step. Man must, he continued to affirm, be always able to withdraw to an inner sanctuary of himself, as did Meursault; but he now knew that like Rieux, the doctor who fights the plague, man must learn to go on living and to join with his fellow men in their foredoomed struggle to live. While accepting the beauty and majesty of the cosmos, as did Meursault and as does Rieux, he must fight its effect on man: a revolt based upon a prior consent. Man can never win: Rieux will die, later rather than sooner as Meursault did, but he can accept the sacrifice and fight Man's fight as long as he lives.

The Second World War had meanwhile intervened and France was under Nazi occupation. Death was still the order of the day, but now Man was hastening it for his fellow man instead of fighting it in the confraternity of Man. Outwardly Camus worked for the Gallimard publishing house as an editor charged with reading manuscripts (a task which the hero of "Jonas" here will fulfill); but his real life was with the Underground fighting the Nazi Occupation force. By 1943 he was deeply involved as one of the editors of a clandestine newspaper risking his life daily to bring hope, order, and confidence to his fellow Frenchmen in the interminable dark days of the war. When it was over and he could emerge again into the light of day, a basic confidence in the essential goodness of life had left him, as had his comfortable feeling that, if man would but try a bit, human relations could readily be established on a human plane. Now there was instead a dramatic obsession with the results of war and revolution: seventy million Europeans had been killed or torn forever from their homes. And above all, men, his fellows, had shown that they could torture other men deliberately, methodically and coldly inflicting anguish upon them, without, as he said, even ceasing to look at them. Man was not merely isolated from man by the universe; he could in addition let loose a fiend within himself which would work to this same end, joining forces with the blind (and hence excusable) forces of the cosmos to deny the brotherhood of all living men. Camus would dedicate his remaining years to a succession of urgent, stark, and frequently painful efforts to make Man realize that this way his damnation lay.

Overworked and deeply harassed by too many tasks, he found his work suffering. It was a situation he parodied in the story of "Jonas" in this collection. But the demands could not be gainsaid. From his early years in Algeria he knew well that continuation of misgovernment in Algeria could only bring on inevitably and fatally a breach betwee 1 what was treated like a colony and the mother country. Passionately he urged the reforms he knew to be indispensable, only to meet with scorn and abuse by extremists among the French who, by their intransigeance, brought on the final break and a precarious independence for which Algeria was all too little prepared. Lecture tours, too, took time, one to the United States in 1946–47 and another to South America in 1949, giving him some of the background of the final story in this collection, "La Pierre qui pousse."

Camus' first discovery had been the Algerian sun and the Mediterranean life of the body, a life simple, direct, and without complications. Then, in adolescence, had come the counter discovery that life also meant death and disease, to which the sun had blinded him. Disorder and chaos had threatened his freedom, but he had learned to accept his universe and the tender indifference which Meursault had found. The War, which brought a new discovery of a new disorder and anarchy, led Camus to shift his emphasis from the difficulties Man faces in the universe to the problem of Man in a world of men, in which he must somehow fight to retain his freedom without abandoning his fellows. Man was being stifled within his own creation, the social order; and this he could alter. Camus would, he said, seek in his writings to change a way of life, but the cosmos he made his divinity. Man could so easily forget his own sense of freedom and his dedication to the cause of justice. But if he could learn to remember that these were at the core of his being, then he could come to dominate and even to destroy those abstract social patterns which he had himself set up. In this vision of revolt, largely phrased in *L'Homme révolté* (1951), Camus found a new way to live, at one with himself and still able to work for the good of man. He must agree to be a man with other men, understanding and accepting, as D'Arrast, the hero of "La Pierre qui pousse," will painfully learn. Life as Man lived it did contain Beauty; and, too, there were men who were humiliated in their living. He vowed to be faithful both to the Beauty and to the humiliated. His pity and his admiration for the mystery of life were the wellsprings from which he would draw.

To Camus, to live was to create. For, where Man by judging imprisoned his fellow man in fact or in spirit, the artist, the creator, by accepting, taught freedom through his art, which should never be, Camus said in accepting the Nobel Prize, a solitary joy but rather a means of moving men by offering them a unique image of the sufferings and the joys common to all mankind. And so he turned to that inner spiritual world, which is Man's victory over death and to that inner soul, independent of external time, where man is no longer subservient to the universe or to society. *L'Exil et le royaume* was the last of his creations in this new vein.

L'EXIL ET LE ROYAUME

The stories in this collection are not concerned with the private complexities of individual humans and their personalities. Camus once said that he was more interested in people's destinies than in their private reactions, for destiny, or Man's condition, keeps repeating itself. In each story Camus deals with a closed world, a nonrealistic one with only enough accuracy of detail to carry the conviction of reality without ever succumbing to it. North Africa, Paris, Brazil, are the scenes; each is used, however, not for itself and its interest, but as a convenient frame, necessary in part because men must and do act in real surroundings, but serving the far more important function of showing physically the grandeur of the eternal human issues which can be lived out within it. No description ever occurs for its own sake and for the splendor of evocation which it may permit; rather Nature gradually offers herself to each hero or heroine, unmoved but moving. It will always be a Nature alive and living for her own ends, independent of man but ever his eternal environment, to which he must consent or perish.

The volume was published in 1957, but the stories were written over several preceding years. In fact, *La Chute*, which warns of the trap ever open to Man to proclaim himself guilty and so entitled by his confession to judge other sinners, was intended to be a part of the collection until it outgrew its limits and was published as a short book in 1956; and the first story, "La Femme adultère," was published separately in 1954. But the stories are a cohesive whole and display a coherent body of insights. Above all, where *L'Etranger* had recounted a failure or at best a revelation which had to be followed by death, and where *La Peste* had discussed the provisional escape of the survivors in a victory which was a living defeat, now a way out is proposed, a way to consent to life and its beauty while revolting against its humiliations. In stories which, except for the last one, are simple, in easily recognized scenes, Camus displays life charged with intense meaning. While that meaning has as part of its glory that it cannot be defined precisely, Camus suggests that it can be felt and lived, which is more important. And because he is an excellent story teller and never has to distort the tale to incorporate the meaning, the stories are tremendously readable; and they move men to achieve their freedom.

Life in these stories is violent, somber, and lived in a constant atmosphere of hostility, overt or hidden. But always, by its illuminating presence or its deafening absence, there is the grandeur of man's estate if he will but consent to inherit it. The stories are filled with the presence of the universe, too, in which man lives. Nature, silent but all pervading, threatens Man but is still his environment, in which he can learn to love his life. The palpable night, the enveloping waters, the vast spaces and wind of the desert are all about man and speak to the silence within him. Each story is, like the ending of *L'Etranger*, a revelation, but this time a revelation for the living, however short or drab or dreary the external circumstances may be.

There are many tightly interwoven, mutually supporting themes. A sensitive critic, Professor Germaine Brée, has suggested that the theme of all the tales is the "more or less fleeting reintegration of man into the kingdom of man," and this theme may be traced throughout the book. But it may be useful to distinguish here Man's isolation from man as dangerous, his Self-Exile from constraining society as essential, and his discovery of his oneness with the cosmos as liberating. His Kingdom is his life among men, secure in his inner sanctuary, strong in his mystic attunement with the beauty of the universe, and now turning outward to his fellows.

The risk man constantly runs of isolating himself from his fellows is an easily identified and ever-present concern of Camus. It is allied to Miss Brée's suggestion that man must reintegrate himself into the kingdom of man but to phrase it as the danger of isolation places the emphasis upon the ease with which man turns himself away from that part of his kingdom which is his fellows. Yet, before man can intimately sense the presence of his fellow man and come to understand him, he must first break from the bonds and shackles which his society has placed upon him in order to rediscover that he is free. This is his Exile; it is the starting point for the first story, "La Femme adultère," in which Janine will begin by discovering herself. In this Exile, Man may then become at one with Nature in a moment of mystic revelation.

Man's relations to his fellow men are the concern of the next stories. The first suggestion is that he must learn not to be silent. For Man must speak if he would be heard; and in a universe and a society which isolate him almost irrevocably, he must speak clearly. The failure to do so is the basis for the second story in this edition, significantly entitled "Les Muets." But merely to speak out once is not enough: one must speak and continue to speak in unmistakable terms, for society has so set man against man that it is too late to speak out when the disaster has struck, the sad suggestion of "L'Hôte."

Camus attacks two further problems of Man's reintegration into his kingdom. One may be inclined to speak out, clearly and always, to be an artist. But then society will overwhelm him and, from the desire to be at one with man, he will not repel this invasion of his inner self. That way lies sterility and failure, as "Jonas" intimates. Or, at the opposite pole, the will to be at one requires so much acceptance, so much understanding and consent, as to seem beyond even heoric power to encompass. D'Arrast, in the last story, "La

Pierre qui pousse," will find himself amost unequal to the task until, following upon an Exile, he has a transcendent vision of his oneness with all his fellows and of the majestic and ceaseless power of the cosmos. He is then able to achieve the final stature of a man and close the book of Man's Exile and his return into his Kingdom.

THE TEXT

One story has been omitted in this edition, the second one entitled "Le Renégat," both because it is perhaps more difficult to follow and because it presents difficulties for classroom handling. It has, however, been summarized at its proper place in the collection.

Footnotes, more frequent at the start, translate extremely unusual words or low-frequency false cognates and passages where the End-Vocabulary cannot give assistance. The notes also draw attention to the handling of the main themes, their recurrence here from some of Camus' other works, and certain of the literary devices which Camus uses to suggest his meanings.

Questions at the end of each story are intended to be useful in part to allow some work in class in connection with the reading, in part to guide the student in his thinking about literary aspects of the stories.

For students who wish to pursue the matter further, the best general study of Camus' life and works is Germaine Brée, *Camus*, revised edition (NEW BRUNSWICK, NEW JERSEY: *Rutgers University Press, 1961*).

B.F.B.

ʂ la femme adultère

introduction

"La Femme adultère," published separately in 1954 and placed first in this collection, introduces two of the three aspects of the basic theme. Janine has successfully avoided isolation; but she senses the need for an Exile and becomes aware of the beauty and majesty of the universe, which is the site of Man's Kingdom. This is the story of a couple, Marcel and Janine, who are making a business trip into the Algerian desert, the land of the Arabs. It is told in the present and through the eyes of Janine; but as her reflections wander, flashbacks allow Camus to tell what is relevant from their long years of tranquil marriage.

The African world of the setting is dry, windy, and sandy; it is wholly indifferent to man and, at least at the start, seems hostile to him. This world can be met by civilized man through rejection: Marcel hates it, and his reactions physically suggest his spiritual animosity. He has built his life on fighting a hostile world through acquiring things, man's defense against poverty and need. He lives in a society, our society, whose values Camus decries. These values are ostensibly Christian but are actually anti-Christian and have thus no values to give to man which are not countered in the same breath. From this has come Marcel's nihilism and his indifference to life.

Janine's view is other. Camus wrote that he was miserly with Man's liberty, which disappears with the quest for worldly goods. Janine will discover her loss. She had married Marcel to avoid a lonely old age in which her isolation would be her curse. But love has died under the time-corroding demands of earning money, whose purpose was to isolate her—Marcel thought of it as insulating her—from her universe in which she must live. Unlike Marcel in his hostility to the desert, Janine is sensitive to its dynamism, wild and exciting, and animate though not in human terms. And she dimly perceives that Marcel has traded time, which is life, for money.

Soon they meet the Arabs. Marcel sees and scorns them; Janine also sees them but senses their grandeur, their freedom, and their pride as men. They own nothing, but they do not serve. They travel light, but this is their freedom. They are lords, impoverished but their own masters. And they prepare Janine for her moment of truth as she withdraws into herself to discover herself, an exile from her civilization and separated spiritually from her husband. This is her adultery, a word that is never used in the story. Having thus withdrawn, she is free, when the moment offers, to open herself to the cosmos and thus become aware of her freedom and her place in it. Its beauty and its grandeur make it her Kingdom. But, though she swoons, she does not, as did Meursault, now have to die. She can live, though sorrowing, with her vision.

▣ la femme adultère

Une mouche maigre tournait,[1] depuis un moment, dans l'autocar aux glaces pourtant relevées. Insolite, elle allait et venait sans bruit, d'un vol exténué. Janine la perdit de vue, puis la vit atterrir sur la main immobile de son mari. Il faisait froid. La mouche frissonnait à chaque rafale du vent sableux qui crissait contre les vitres. Dans la lumière rare du matin d'hiver, à grand bruit de tôles et d'essieux, le véhicule roulait, tanguait, avançait à peine. Janine regarda son mari. Des épis de cheveux grisonnants plantés bas sur un front serré, le nez large, la bouche irrégulière, Marcel avait l'air d'un faune boudeur. A chaque défoncement de la chaussée, elle le sentait sursauter contre elle. Puis il laissait retomber son torse pesant sur ses jambes écartées, le regard fixe, inerte de nouveau, et absent. Seules, ses grosses mains imberbes, rendues plus courtes encore par la flanelle grise qui dépassait les manches de chemise et couvrait les poignets, semblaient en action. Elles serraient si fortement une petite valise de toile, placée entre ses genoux, qu'elles ne paraissaient pas sentir la course hésitante de la mouche.

Soudain, on entendit distinctement le vent hurler et la brume minérale[2] qui entourait l'autocar s'épaissit encore. Sur les vitres, le sable s'abattait maintenant par poignées comme s'il était lancé par des mains invisibles. La mouche remua une aile frileuse, fléchit sur ses pattes, et s'envola. L'autocar ralentit, et sembla sur le point de stopper. Puis le vent parut se calmer, la brume s'éclaircit un peu et le véhicule reprit de la vitesse. Des trous de lumière s'ouvraient dans le paysage noyé de poussière. Deux ou trois palmiers grêles et blanchis, qui semblaient découpés dans du métal, surgirent dans la vitre pour disparaître l'instant d'après.

«Quel pays!» dit Marcel.

[1] *tournait* had been . . . (Note *depuis* later in the sentence.)
[2] *brume minérale* because of the particles of sand picked up by the wind. Wind and sand will dominate Camus' pictures of the desert, illuminating its vast, ceaseless energy and its lifeless indifference to man.

L'autocar était plein d'Arabes qui faisaient mine de dormir, enfouis dans leurs burnous. Quelques-uns avaient ramené leurs pieds sur la banquette et oscillaient plus que les autres dans le mouvement de la voiture. Leur silence, leur impassibilité finis-
5 saient par peser à Janine; il lui semblait qu'elle voyageait depuis des jours avec cette escorte muette. Pourtant, le car était parti à l'aube, du terminus de la voie ferrée,[1] et, depuis deux heures,[2] dans le matin froid, il progressait sur un plateau pierreux, désolé, qui, au départ du moins, étendait ses lignes droites jusqu'à des horizons
10 rougeâtres. Mais le vent[3] s'était levé et, peu à peu, avait avalé l'immense étendue. A partir de ce moment, les passagers n'avaient plus rien vu; l'un après l'autre, ils s'étaient tus[4] et ils avaient navigué en silence dans une sorte de nuit blanche, essuyant parfois leurs lèvres et leurs yeux irrités par le sable qui s'infiltrait dans la voiture.
15 «Janine!» Elle sursauta à l'appel de son mari. Elle pensa une fois de plus[5] combien ce prénom était ridicule,[6] grande et forte comme elle était. Marcel voulait savoir où se trouvait la mallette d'échan-tillons. Elle explora du pied l'espace vide sous la banquette et rencontra un objet dont elle décida[7] qu'il était la mallette. Elle ne
20 pouvait se baisser, en effet,[8] sans étouffer un peu. Au collège[9] pourtant, elle était première en gymnastique, son souffle était inépui-sable. Y avait-il si longtemps de cela?[10] Vingt-cinq ans. Vingt-cinq ans n'étaient rien puisqu'il lui semblait que c'était hier qu'elle hésitait entre la vie libre et le mariage, hier encore qu'elle pensait
25 avec angoisse à ce jour où, peut-être, elle vieillirait seule. Elle n'était pas seule, et cet étudiant en droit qui ne voulait jamais la quitter se trouvait maintenant à ses côtés. Elle avait fini par l'accepter, bien

[1] *du terminus de la voie ferrée=de la gare du chemin de fer*
[2] *depuis deux heures*   two hours (Note also *depuis.*)
[3] *le vent*   Notice how, in this whole paragraph, the landscape is becoming alive and, apparently, vaguely threatening.
[4] *tus*   from *taire*   [5] *une fois de plus*   once again, once more
[6] *ridicule*   because of the diminutive, "Little Jeanne"
[7] *dont elle décida*   literally, concerning which she decided
[8] *en effet*   in fact (N.B. not "in effect")
[9] *collège*   in France a secondary school, frequently religious in character
[10] *Y avait-il ... cela?*   Was that so long ago?

qu'il fût un peu petit et qu'elle n'aimât pas beaucoup son rire avide et bref, ni ses yeux noirs trop saillants. Mais elle aimait son courage [1] à vivre, qu'il partageait avec les Français de ce pays. Elle aimait aussi son air déconfit quand les événements, ou les hommes, trompaient son attente. Surtout, elle aimait être aimée, et il l'avait 5 submergée d'assiduités. A lui faire [2] sentir si souvent qu'elle existait pour lui, il la faisait exister réellement. Non, elle n'était pas seule...

L'autocar, à grands coups d'avertisseur, [3] se frayait un passage à travers des obstacles invisibles. Dans la voiture, cependant, personne ne bougeait. Janine sentit soudain qu'on la regardait et se tourna vers 10 la banquette qui prolongeait la sienne, de l'autre côté du passage. Celui-là n'était pas un Arabe et elle s'étonna de ne pas l'avoir remarqué au départ. Il portait l'uniforme des unités françaises du Sahara et un képi de toile bise sur sa face tannée de chacal, longue et pointue. Il l'examinait de ses yeux clairs, avec une sorte de maus- 15 saderie, fixement. Elle rougit tout d'un coup et revint vers son mari qui regardait toujours devant lui, dans la brume et le vent. Elle s'emmitoufla dans son manteau. Mais elle revoyait encore le soldat français, long et mince, si mince, avec sa vareuse ajustée, qu'il paraissait bâti dans une matière sèche et friable, un mélange de sable 20 et d'os. [4] C'est à ce moment qu'elle vit les mains maigres et le visage brûlé des Arabes qui étaient devant elle, et qu'elle remarqua qu'ils semblaient au large, [5] malgré leurs amples vêtements, sur les banquettes où son mari et elle tenaient à peine. Elle ramena contre elle les pans de son manteau. Pourtant, elle n'était pas si grosse, grande et 25 pleine plutôt, charnelle, [6] et encore désirable — elle le sentait bien

[1] *courage* (usually) courage; (here) more, tenacity, determination

[2] *A lui faire* By making her. . . . Camus' thought here is central in his beliefs: only by loving and being loved does one fully live. Janine is, clearly, loved; the problem will lie in loving in return. Recall the title of the story.

[3] *à... avertisseur* with a lot of horn blowing

[4] *os* The French soldier, like Marcel, has lost his living quality, his humanity.

[5] *au large* By a comment on their physical freedom in contrast to Marcel and Janine, Camus begins to suggest the spiritual freedom conquered by the Arabs, which will tempt the "adulterous woman."

[6] *pas si grosse... charnelle Grosse* would make her fat; *grande* suggests that she is a big woman; *pleine* and *charnelle* (here, fleshy) indicate a full figure.

sous le regard des hommes — avec son visage un peu enfantin, ses
yeux frais et clairs, contrastant avec ce grand corps qu'elle savait
tiède et reposant.

Non, rien ne se passait comme elle l'avait cru. Quand Marcel
5   avait voulu l'emmener avec lui dans sa tournée, elle avait protesté.
Il pensait depuis longtemps à ce voyage, depuis la fin de la guerre
exactement, au moment où les affaires étaient redevenues normales.
Avant la guerre, le petit commerce de tissus qu'il avait repris de ses
parents, quand il eut renoncé à ses études de droit, les faisait vivre
10 plutôt bien que mal.¹ Sur la côte, les années de jeunesse peuvent
être heureuses. Mais il n'aimait pas beaucoup l'effort physique et,
très vite, il avait cessé de la mener sur les plages.² La petite voiture
ne les sortait de la ville que pour la promenade du dimanche. Le
reste du temps, il préférait son magasin d'étoffes multicolores, à
15 l'ombre des arcades de ce quartier mi-indigène, mi-européen. Au-
dessus de la boutique, ils vivaient dans trois pièces, ornées de ten-
tures arabes et de meubles Barbès.³ Ils n'avaient pas eu d'enfants.
Les années avaient passé, dans la pénombre qu'ils entretenaient,
volets mi-clos.⁴ L'été, les plages, les promenades, le ciel même
20 étaient loin. Rien ne semblait intéresser Marcel que ses affaires. Elle
avait cru découvrir sa vraie passion, qui était l'argent, et elle n'aimait
pas cela, sans trop savoir pourquoi. Après tout, elle en profitait. Il
n'était pas avare; généreux, au contraire, surtout avec elle. «S'il
m'arrivait quelque chose, disait-il, tu serais à l'abri.» Et il faut, en
25 effet, s'abriter du besoin. Mais du reste, de ce qui n'est pas le besoin
le plus simple, où s'abriter?⁵ C'était là ce que, de loin en loin, elle

---

¹ *les faisait vivre... mal*   gave them a fairly good income
² *plages*   recall Camus' happy youth on the Algerian coast and his
deep spiritual joy in physical exercise, especially swimming
³ *meubles Barbès*   furniture from the Galeries Barbès, a chain of stores
selling inexpensive, characterless furniture
⁴ *mi-clos*   Janine and Marcel are deliberately shutting life out.
⁵ *du reste... où s'abriter?*   where can one hide . . . from the rest?
Camus wrote elsewhere: *"L'homme actuel croit qu'il faut d'abord libérer le
corps, même si l'esprit doit mourir provisoirement.   Mais l'esprit peut-il mourir
provisoirement?"* Janine will "sense this confusedly."

sentait confusément. En attendant, elle aidait Marcel à tenir ses livres [1] et le remplaçait parfois au magasin. Le plus dur était l'été où la chaleur tuait jusqu'à la douce sensation de l'ennui.

Tout d'un coup, en plein été justement, la guerre, Marcel mobilisé puis réformé, la pénurie des tissus, les affaires stoppées, les rues désertes et chaudes. S'il arrivait quelque chose, désormais, elle ne serait plus à l'abri. Voilà pourquoi, dès le retour des étoffes sur le marché, Marcel avait imaginé [2] de parcourir les villages des hauts plateaux et du Sud pour se passer d'intermédiaires et vendre directement aux marchands arabes. Il avait voulu l'emmener. Elle savait que les communications étaient difficiles, elle respirait mal, elle aurait préféré l'attendre. Mais il était obstiné et elle avait accepté parce qu'il eût fallu trop d'énergie pour refuser. Ils y étaient maintenant et, vraiment, rien ne ressemblait à ce qu'elle avait imaginé. Elle avait craint la chaleur, les essaims de mouches, les hôtels crasseux, pleins d'odeurs anisées. [3] Elle n'avait pas pensé au froid, au vent coupant, à ces plateaux quasi polaires, encombrés de moraines. Elle avait rêvé aussi de palmiers et de sable doux. Elle voyait à présent que le désert n'était pas cela, mais seulement la pierre, la pierre partout, dans le ciel où régnait encore, crissante et froide, la seule poussière de pierre, [4] comme sur le sol où poussaient seulement, entre les pierres, des graminées sèches.

Le car s'arrêta brusquement. Le chauffeur dit à la cantonade [5] quelques mots dans cette langue qu'elle avait entendue toute sa vie sans jamais la comprendre. « Qu'est-ce que c'est ? » demanda Marcel. Le chauffeur, en français, cette fois, dit que le sable avait dû boucher [6] le carburateur, et Marcel maudit encore ce pays. Le chauffeur rit de toutes ses dents et assura que ce n'était rien, qu'il allait

[1] *livres (de comptes)* (account) books
[2] *imaginé* (here) had the idea, thought of
[3] *odeurs anisées* the smell of anise (the basic ingredient in a number of drinks especially popular in Algeria and Southern France, like Pernod, Pastis, or anisette, which will recur later. The smell is like licorice).
[4] *la seule poussière de pierre* only stone dust
[5] *dit à la cantonade* (literally) spoke to someone off stage, in the wings (*cantonade*); (here) said to himself, to anyone who cared to listen
[6] *avait dû boucher* must have blocked

déboucher le carburateur et qu'ensuite on s'en irait. Il ouvrit la portière, le vent froid s'engouffra dans la voiture, leur criblant aussitôt le visage de mille grains de sable. Tous les Arabes plongèrent le nez dans leurs burnous et se ramassèrent sur eux-mêmes.

5 «Ferme la porte», hurla Marcel. Le chauffeur riait en revenant vers la portière. Posément, il prit quelques outils sous le tableau de bord, puis, minuscule dans la brume, disparut à nouveau vers l'avant, sans fermer la porte. Marcel soupirait. «Tu peux être sûre qu'il n'a jamais vu un moteur de sa vie. — Laisse!» dit Janine. Soudain, elle sursauta.

10 Sur le remblai, tout près du car, des formes drapées se tenaient immobiles. Sous le capuchon du burnous, et derrière un rempart de voiles, on ne voyait que leurs yeux. Muets, venus on ne savait d'où, ils regardaient les voyageurs. «Des bergers», dit Marcel.

A l'intérieur de la voiture, le silence était complet. Tous les

15 passagers, tête baissée, semblaient écouter la voix du vent, lâché en liberté sur ces plateaux interminables. Janine fut frappée, soudain, par l'absence presque totale de bagages. Au terminus de la voie ferrée, le chauffeur avait hissé leur malle, et quelques ballots, sur le toit. A l'intérieur du car, dans les filets,[1] on voyait seulement des bâtons

20 noueux et des couffins plats. Tous ces gens du Sud, apparemment, voyageaient les mains vides.[2]

Mais le chauffeur revenait, toujours alerte. Seuls, ses yeux riaient, au-dessus des voiles dont il avait, lui aussi, masqué son visage. Il annonça qu'on s'en allait. Il ferma la portière, le vent se tut et l'on

25 entendit mieux la pluie de sable sur les vitres. Le moteur toussa, puis expira. Longuement sollicité par le démarreur,[3] il tourna enfin et le

---

[1] *filets* nets. In France the racks in buses and trains are frequently made of netting on a metal frame.

[2] *les mains vides* The Arab, who has learned to live with hostile Nature, travels light and is at home, free, in his world in contrast to civilized man, Marcel, who hates the desert. Janine had rightly escaped the impoverishing freedom of loneliness by marrying Marcel but in her marriage she had become a prisoner again through seeking shelter from want in the search for money and the accumulation of things.

[3] *Longuement... démarreur* The sense is: "After the starter had turned the motor over for a long time, it finally caught and the driver gunned the throttle to make the motor roar."

chauffeur le fit hurler à coups d'accélérateur. Dans un grand hoquet, l'autocar repartit. De la masse haillonneuse des bergers, toujours immobiles, une main s'éleva, puis s'évanouit dans la brume, derrière eux. Presque aussitôt, le véhicule commença de sauter sur la route devenue plus mauvaise. Secoués, les Arabes oscillaient sans cesse. Janine sentait cependant le sommeil la gagner quand surgit devant elle une petite boîte jaune, remplie de cachous. Le soldat-chacal lui souriait. Elle hésita, se servit, et remercia. Le chacal empocha la boîte et avala d'un coup son sourire. A présent, il fixait la route, droit devant lui. Janine se tourna vers Marcel et ne vit que sa nuque solide. Il regardait à travers les vitres la brume plus dense qui montait des remblais friables.

Il y avait des heures qu'ils roulaient et la fatigue avait éteint toute vie dans la voiture lorsque des cris retentirent au dehors. Des enfants en burnous, tournant sur eux-mêmes comme des toupies, sautant, frappant des mains, couraient autour de l'autocar. Ce dernier roulait maintenant dans une longue rue flanquée de maisons basses; on entrait dans l'oasis. Le vent soufflait toujours, mais les murs arrêtaient les particules de sable qui n'obscurcissaient plus la lumière. Le ciel, cependant, restait couvert. Au milieu des cris, dans un grand vacarme de freins, l'autocar s'arrêta devant les arcades de pisé [1] d'un hôtel aux vitres sales. Janine descendit et, dans la rue, se sentit vaciller. Elle apercevait, au-dessus des maisons, un minaret jaune et gracile. A sa gauche, se découpaient déjà les premiers palmiers de l'oasis et elle aurait voulu aller vers eux. Mais bien qu'il fût près de midi, le froid était vif; le vent la fit frissonner. Elle se retourna vers Marcel, et vit d'abord le soldat qui avançait à sa rencontre. Elle attendait son sourire ou son salut. Il la dépassa sans la regarder, et disparut. Marcel, lui, s'occupait de faire descendre la malle d'étoffes, une cantine noire, perchée sur le toit de l'autocar. Ce ne serait pas facile. Le chauffeur était seul à s'occuper des bagages et il s'arrêtait déjà, dressé sur le toit, pour pérorer devant le cercle de burnous rassemblés autour du car. Janine, entourée de visages qui

[1] *pisé* The same word is used in English. It refers to masonry walls made by pounding and compressing clay soil in a form.

semblaient taillés dans l'os et le cuir, assiégée de cris gutturaux,
sentit soudain sa fatigue. «Je monte», dit-elle à Marcel qui inter-
pellait avec impatience le chauffeur.

Elle entra dans l'hôtel. Le patron, un Français maigre et taci-
5 turne, vint au-devant d'elle. Il la conduisit au premier étage, sur une
galerie [1] qui dominait la rue, dans une chambre où il semblait n'y
avoir qu' [2] un lit de fer, une chaise peinte au ripolin blanc, une penderie sans rideaux et, derrière un paravent de roseaux, une toilette [3]
dont le lavabo était couvert d'une fine poussière de sable. Quand le
10 patron eut fermé la porte, Janine sentit le froid qui venait des murs
nus et blanchis à la chaux. [4] Elle ne savait où poser son sac, où se
poser elle-même. Il fallait se coucher ou rester debout, et frissonner
dans les deux cas. Elle restait debout, son sac à la main, fixant une
sorte de meurtrière ouverte sur le ciel, près du plafond. Elle attendait,
15 mais elle ne savait quoi. Elle sentait seulement sa solitude, et le
froid qui la pénétrait, et un poids plus lourd à l'endroit du cœur.
Elle rêvait en vérité, presque sourde aux bruits qui montaient de la
rue avec des éclats de la voix de Marcel, plus consciente au contraire
de cette rumeur de fleuve qui venait de la meurtrière et que le vent
20 faisait naître dans les palmiers, si proches maintenant, lui semblait-il.
Puis le vent parut redoubler, le doux bruit d'eaux devint sifflement
de vagues. Elle imaginait, derrière les murs, une mer de palmiers
droits et flexibles, moutonnant dans la tempête. Rien ne ressemblait
à ce qu'elle avait attendu, mais ces vagues invisibles rafraîchissaient
25 ses yeux fatigués. Elle se tenait debout, pesante, les bras pendants,
un peu voûtée, le froid montait le long de ses jambes lourdes. Elle
rêvait aux palmiers droits et flexibles, et à la jeune fille qu'elle avait
été.

Après leur toilette, ils descendirent dans la salle à manger. Sur
30 les murs nus, on avait peint des chameaux et des palmiers, noyés

---

[1] *au premier étage, sur une galerie* to the second floor on a covered
balcony
[2] *où il semblait... qu'* where there seemed to be only
[3] *toilette* washstand
[4] *blanchis à la chaux* whitewashed

dans une confiture rose et violette.[1] Les fenêtres à arcade laissaient
entrer une lumière parcimonieuse. Marcel se renseignait sur les
marchands auprès du[2] patron de l'hôtel. Puis un vieil Arabe, qui
portait une décoration militaire sur sa vareuse, les servit. Marcel
était préoccupé et déchirait son pain. Il empêcha sa femme de boire de   5
l'eau. «Elle n'est pas bouillie. Prends du vin.» Elle n'aimait pas cela,
le vin l'alourdissait. Et puis, il y avait du porc au menu. «Le Coran
l'interdit. Mais le Coran ne savait pas que le porc bien cuit ne donne
pas de maladies. Nous autres,[3] nous savons faire la cuisine. A quoi
penses-tu?» Janine ne pensait à rien, ou peut-être à cette victoire   10
des cuisiniers sur les prophètes. Mais elle devait se dépêcher. Ils
repartaient le lendemain matin, plus au sud encore: il fallait voir
dans l'après-midi tous les marchands importants. Marcel pressa
le vieil Arabe d'apporter le café. Celui-ci approuva de la tête, sans
sourire, et sortit à petits pas. «Doucement le matin, pas trop vite le   15
soir», dit Marcel en riant. Le café finit pourtant par arriver. Ils
prirent à peine le temps de l'avaler et sortirent dans la rue poussié-
reuse et froide. Marcel appela un jeune Arabe pour l'aider à porter
la malle, mais discuta par principe la rétribution. Son opinion, qu'il
fit savoir à Janine une fois de plus, tenait en effet dans ce principe   20
obscur qu'ils demandaient toujours le double pour qu'on leur donne
le quart. Janine, mal à l'aise, suivait les deux porteurs. Elle avait
mis un vêtement de laine sous son gros manteau, elle aurait voulu
tenir moins de place. Le porc, quoique bien cuit, et le peu de vin
qu'elle avait bu, lui donnaient aussi de l'embarras.[4]   25
    Ils longeaient un petit jardin public planté d'arbres poudreux.
Des Arabes les croisaient qui se rangeaient sans paraître les voir,
ramenant devant eux les pans de leurs burnous. Elle leur trouvait,
même lorsqu'ils portaient des loques, un air de fierté que n'avaient
pas les Arabes de sa ville.[5] Janine suivait la malle qui, à travers la   30

---

[1] *rose et violette*   pink and purple
[2] *se renseignait... auprès du*   was getting information . . . from the
[3] *Nous autres*   (here) We French
[4] *lui donnaient aussi de l'embarras*   bothered her, too
[5] *que... sa ville*   which the Arabs of her city did not have (inversion of
noun subject and verb in *que*-clause)

foule, lui ouvrait un chemin. Ils passèrent la porte d'un rempart de
terre ocre, parvinrent sur une petite place plantée des mêmes arbres
minéraux[1] et bordés au fond, sur sa plus grande largeur, par des
arcades et des boutiques. Mais ils s'arrêtèrent sur la place même,
5   devant une petite construction en forme d'obus, peinte à la chaux
bleue. A l'intérieur, dans la pièce unique, éclairée seulement par la
porte d'entrée, se tenait, derrière une planche de bois luisant, un
vieil Arabe aux moustaches blanches. Il était en train de servir du
thé, élevant et abaissant la théière au-dessus de trois petits verres
10 multicolores. Avant qu'ils pussent rien distinguer d'autre[2] dans la
pénombre du magasin, l'odeur fraîche du thé à la menthe accueillit
Marcel et Janine sur le seuil. A peine franchie l'entrée, et ses guirlandes encombrantes de théières en étain, de tasses et de plateaux
mêlés à des tourniquets de cartes postales,[3] Marcel se trouva contre
15 le comptoir. Janine resta dans l'entrée. Elle s'écarta un peu pour ne
pas intercepter la lumière. A ce moment, elle aperçut derrière le
vieux marchand, dans la pénombre, deux Arabes qui les regardaient
en souriant, assis sur les sacs gonflés dont le fond de la boutique
était entièrement garni. Des tapis rouges et noirs, des foulards brodés
20 pendaient le long des murs, le sol était encombré de sacs et de petites
caisses emplies de graines aromatiques. Sur le comptoir, autour d'une
balance aux plateaux de cuivre étincelants et d'un vieux mètre aux
gravures effacées, s'alignaient des pains de sucre dont l'un, démailloté
de ses langes de gros papier bleu, était entamé au sommet. L'odeur
25 de laine et d'épices qui flottait dans la pièce apparut derrière le
parfum de thé quand le vieux marchand posa la théière sur le
comptoir et dit bonjour.

Marcel parlait précipitamment, de cette voix basse qu'il prenait
pour parler affaires. Puis il ouvrait la malle, montrait les étoffes et les
30 foulards, poussait la balance et le mètre pour étaler sa marchandise
devant le vieux marchand. Il s'énervait, haussait le ton,[4] riait de
façon désordonnée, il avait l'air d'une femme qui veut plaire et qui

[1] *mêmes arbres minéraux = arbres poudreux*
[2] *rien distinguer d'autre*   make out anything else
[3] *des tourniquets de cartes postales*   post cards displayed in swivel holders
[4] *haussait le ton*   began to raise his voice

n'est pas sûre d'elle. Maintenant, de ses mains largement ouvertes, il mimait la vente et l'achat. Le vieux secoua la tête, passa le plateau de thé aux deux Arabes derrière lui et dit seulement quelques mots qui semblèrent décourager Marcel. Celui-ci reprit ses étoffes, les empila dans la malle, puis essuya sur son front une sueur improbable. Il appela le petit porteur et ils repartirent vers les arcades. Dans la première boutique, bien que le marchand eût d'abord affecté le même air olympien, ils furent un peu plus heureux. «Ils se prennent pour le bon Dieu, dit Marcel, mais ils vendent aussi! La vie est dure pour tous.»

Janine suivait sans répondre. Le vent avait presque cessé. Le ciel se découvrait par endroits. Une lumière froide, brillante, descendait des puits bleus qui se creusaient dans l'épaisseur des nuages.[1] Ils avaient maintenant quitté la place. Ils marchaient dans de petites rues, longeaient des murs de terre au-dessus desquels pendaient les roses pourries de décembre ou, de loin en loin, une grenade, sèche et véreuse. Un parfum de poussière et de café, la fumée d'un feu d'écorces, l'odeur de la pierre, du mouton, flottaient dans ce quartier. Les boutiques, creusées dans des pans de murs, étaient éloignées les unes des autres; Janine sentait ses jambes s'alourdir. Mais son mari se rassérénait peu à peu, il commençait à vendre, et devenait aussi plus conciliant; il appelait Janine «petite», le voyage ne serait pas inutile. «Bien sûr, disait Janine, il vaut mieux s'entendre directement avec eux.»

Ils revinrent par une autre rue, vers le centre. L'après-midi était avancé, le ciel maintenant à peu près découvert. Ils s'arrêtèrent sur la place. Marcel se frottait les mains, il contemplait d'un air tendre la malle, devant eux. «Regarde», dit Janine. De l'autre extrémité de la place venait un grand Arabe, maigre, vigoureux, couvert d'un burnous bleu ciel, chaussé de souples bottes jaunes, les

---

[1] *Une lumière... nuages.* Camus likes to use Nature to reinforce (or to oppose) his events. Here the cold, brilliant light accompanies Janine's piercing awareness of what her husband is. At such moments Camus frequently turns from an unadorned recital, which he has been using up to now, to a highly imaged prose, here the *puits bleus*. The device will recur at most of the crucial moments in these short stories.

mains gantées, et qui portait haut un visage aquilin et bronzé. Seul
la chèche¹ qu'il portait en turban permettait de le distinguer de ces
officiers français d'Affaires indigènes que Janine avait parfois admirés.
Il avançait régulièrement dans leur direction, mais semblait regarder
5 au-delà de leur groupe, en dégantant avec lenteur l'une de ses
mains. «Eh bien, dit Marcel en haussant les épaules, en voilà un
qui se croit général.» Oui, ils avaient tous ici cet air d'orgueil, mais
celui-là, vraiment, exagérait. Alors que l'espace vide de la place les
entourait, il avançait droit sur la malle, sans la voir, sans les voir.
10 Puis la distance qui les séparait diminua rapidement et l'Arabe
arrivait sur eux, lorsque Marcel saisit, tout d'un coup, la poignée de
la cantine, et la tira en arrière. L'autre passa, sans paraître rien
remarquer, et se dirigea du même pas vers les remparts. Janine
regarda son mari, il avait son air déconfit. «Ils se croient tout permis,
15 maintenant»,² dit-il. Janine ne répondit rien. Elle détestait la
stupide arrogance de cet Arabe et se sentait tout d'un coup malheureuse. Elle voulait partir, elle pensait à son petit appartement.
L'idée de rentrer à l'hôtel, dans cette chambre glacée, la décourageait.
Elle pensa soudain que le patron lui avait conseillé de monter sur
20 la terrasse³ du fort d'où l'on voyait le désert. Elle le dit à Marcel et
qu'on pouvait laisser la malle à l'hôtel. Mais il était fatigué, il
voulait dormir un peu avant le dîner. «Je t'en prie», dit Janine. Il la
regarda, soudain attentif. «Bien sûr, mon chéri»,⁴ dit-il.
Elle l'attendait devant l'hôtel, dans la rue. La foule vêtue de
25 blanc devenait de plus en plus nombreuse. On n'y rencontrait pas
une seule femme et il semblait à Janine qu'elle n'avait jamais vu
autant d'hommes. Pourtant, aucun ne la regardait. Quelques-uns,
sans paraître la voir, tournaient lentement vers elle cette face maigre
et tannée qui, à ses yeux, les faisait tous ressemblants, le visage du

---

¹ *chèche*   long scarf worn by certain French colonial troops
² *Ils se… maintenant*   The story takes place right after the Second
World War as the Arabs began their revolt which was to lead ultimately to
Algerian independence from France.
³ *terrasse*   (here) flat roof serving as a platform
⁴ *chéri*   This word does not have to be put in the feminine (*chérie*) to
refer to a woman.

soldat français dans le car, celui de l'Arabe aux gants, un visage à la fois rusé et fier. Ils tournaient ce visage vers l'étrangère,[1] ils ne la voyaient pas et puis, légers et silencieux, ils passaient autour d'elle dont les chevilles gonflaient.[2] Et son malaise, son besoin de départ augmentaient. «Pourquoi suis-je venue?» Mais, déjà, Marcel redescendait. 5

Lorsqu'ils[3] grimpèrent l'escalier du fort, il était cinq heures de l'après-midi. Le vent avait complètement cessé. Le ciel, tout entier découvert, était maintenant d'un bleu de pervenche. Le froid, devenu plus sec, piquait leurs joues. Au milieu de l'escalier, un vieil 10 Arabe, étendu contre le mur, leur demanda s'ils voulaient être guidés, mais sans bouger, comme s'il avait été sûr d'avance de leur refus. L'escalier était long et raide, malgré plusieurs paliers de terre battue. A mesure qu'ils montaient, l'espace s'élargissait et ils s'élevaient dans une lumière de plus en plus vaste, froide et sèche, 15 où chaque bruit de l'oasis leur parvenait avec une pureté distincte. L'air illuminé semblait vibrer autour d'eux, d'une vibration de plus en plus longue à mesure qu'ils progressaient, comme si leur passage faisait naître sur le cristal de la lumière une onde sonore qui allait s'élargissant. Et au moment où, parvenus sur la terrasse, leur regard 20 se perdit d'un coup au-delà de la palmeraie, dans l'horizon immense, il sembla à Janine que le ciel entier retentissait d'une seule note éclatante et brève dont les échos peu à peu remplirent l'espace au-dessus d'elle, puis se turent subitement pour la laisser silencieuse devant l'étendue sans limites. 25

De l'est à l'ouest, en effet, son regard se déplaçait lentement, sans rencontrer un seul obstacle, tout le long d'une courbe parfaite. Au-dessous d'elle, les terrasses bleues et blanches de la ville arabe se chevauchaient, ensanglantées par les taches rouge sombre des

[1] *étrangère* Note the entrance of this key concept in Camus' thought.

[2] *dont... gonflaient* once more the contrast between their ease and her discomfort in this Nature with which they both were seeking to come to terms. Camus is again using physical imagery to suggest spiritual states.

[3] *Lorsqu'ils...* This paragraph marks another of the transitions from quiet and direct writing about simple events to an imaged account of a spiritual development which has been only inherent in the previous account or at most only suggested by the emphases present in it.

piments qui séchaient au soleil. On n'y voyait personne, mais des cours intérieures montaient, avec la fumée odorante d'un café qui grillait, des voix rieuses ou des piétinements incompréhensibles. Un peu plus loin, la palmeraie, divisée en carrés inégaux par des murs
5 d'argile, bruissait à son sommet sous l'effet d'un vent qu'on ne sentait plus sur la terrasse. Plus loin encore, et jusqu'à l'horizon, commençait, ocre et gris, le royaume des pierres, où nulle vie n'apparaissait. A quelque distance de l'oasis seulement, près de l'oued [1] qui, à l'occident, longeait la palmeraie, on apercevait de larges tentes
10 noires. Tout autour, un troupeau de dromadaires immobiles, minuscules à cette distance, formaient sur le sol gris les signes sombres d'une étrange écriture dont il fallait déchiffrer le sens. Au-dessus du désert, le silence était vaste comme l'espace.

Janine, appuyée de tout son corps au parapet, restait sans voix,
15 incapable de s'arracher au vide qui s'ouvrait devant elle. A ses côtés, Marcel s'agitait. Il avait froid, il voulait descendre. Qu'y avait-il donc à voir ici? Mais elle ne pouvait détacher ses regards de l'horizon. Là-bas, plus au sud encore, à cet endroit où le ciel et la terre se rejoignaient dans une ligne pure, là-bas, lui semblait-il
20 soudain, quelque chose l'attendait qu'elle avait ignoré [2] jusqu'à ce jour et qui pourtant n'avait cessé de lui manquer. Dans l'après-midi qui avançait, la lumière se détendait doucement; de cristalline, elle devenait liquide. En même temps, au cœur d'une femme que le hasard seul amenait là, un nœud que les années, l'habitude et
25 l'ennui avaient serré, se dénouait lentement. [3] Elle regardait le campement des nomades. Elle n'avait même pas vu les hommes qui vivaient là, rien ne bougeait entre les tentes noires et, pourtant, elle ne pouvait penser qu'à eux, dont elle avait à peine connu l'existence jusqu'à ce jour. Sans maisons, coupés du monde, ils étaient une
30 poignée à errer [4] sur le vaste territoire qu'elle découvrait du regard,

---

[1] *oued* wadi (North African river bed or ravine)

[2] *ignoré = ne pas savoir*

[3] *En même temps... lentement.* Readers of Camus' *La Peste* will recognize here the story of Grand's wife, Jeanne, who committed adultery in fact as well as in her heart.

[4] *errer* to wander

et qui n'était cependant qu'une partie dérisoire d'un espace encore
plus grand, dont la fuite vertigineuse ne s'arrêtait qu'à des milliers
de kilomètres plus au sud, là où le premier fleuve féconde enfin la
forêt. Depuis toujours, sur la terre sèche, raclée jusqu'à l'os, de ce
pays démesuré, quelques hommes cheminaient sans trêve, qui ne   5
possédaient rien mais ne servaient personne, seigneurs misérables [1]
et libres d'un étrange royaume. Janine ne savait pas pourquoi cette
idée l'emplissait d'une tristesse si douce et si vaste qu'elle lui
fermait les yeux. Elle savait seulement que ce royaume, de tout
temps, lui avait été promis et que jamais, pourtant, il ne serait le   10
sien, plus jamais,[2] sinon à ce fugitif instant, peut-être, où elle
rouvrit les yeux sur le ciel soudain immobile, et sur ses flots de
lumière figée, pendant que les voix qui montaient de la ville arabe se
taisaient brusquement. Il lui sembla que le cours du monde venait
alors de s'arrêter et que personne, à partir de cet instant, ne vieillirait   15
plus ni ne mourrait. En tous lieux, désormais, la vie était suspendue,
sauf dans son cœur où, au même moment, quelqu'un pleurait de
peine et d'émerveillement.

Mais la lumière se mit en mouvement, le soleil, net et sans
chaleur, déclina vers l'ouest qui rosit un peu, tandis qu'une vague   20
grise se formait à l'est, prête à déferler lentement sur l'immense
étendue. Un premier chien hurla, et son cri lointain monta dans l'air,
devenu encore plus froid. Janine s'aperçut alors qu'elle claquait des
dents. «On crève,[3] dit Marcel, tu es stupide. Rentrons.» Mais il lui
prit gauchement la main. Docile maintenant, elle se détourna du   25
parapet et le suivit. Le vieil Arabe de l'escalier, immobile, les regarda
descendre vers la ville. Elle marchait sans voir personne, courbée
sous une immense et brusque fatigue, traînant son corps dont le
poids lui paraissait maintenant insupportable. Son exaltation l'avait
quittée. A présent, elle se sentait trop grande, trop épaisse, trop   30
blanche aussi pour ce monde où elle venait d'entrer. Un enfant, la
jeune fille, l'homme sec, le chacal furtif étaient les seules créatures

---

[1] *misérables*   poor, poverty-stricken
[2] *plus jamais*   never again
[3] *On crève*   We are dying (familiar)

qui pouvaient fouler silencieusement cette terre. Qu'y ferait-elle
désormais, sinon s'y traîner jusqu'au sommeil, jusqu'à la mort ?

Elle se traîna, en effet, jusqu'au restaurant,[1] devant un mari
soudain taciturne, ou qui disait sa fatigue, pendant qu'elle-même
5   luttait faiblement contre un rhume dont elle sentait monter la
fièvre. Elle se traîna encore jusqu'à son lit, où Marcel vint la rejoindre, et éteignit aussitôt sans rien lui demander. La chambre était
glacée. Janine sentait le froid la gagner en même temps que s'accélé-
rait la fièvre. Elle respirait mal, son sang battait sans la réchauffer ;
10 une sorte de peur grandissait en elle. Elle se retournait, le vieux lit
de fer craquait sous son poids. Non, elle ne voulait pas être malade.
Son mari dormait déjà, elle aussi devait dormir, il le fallait. Les
bruits étouffés de la ville parvenaient jusqu'à elle par la meurtrière.
Les vieux phonographes des cafés maures nasillaient des airs qu'elle
15 reconnaissait vaguement, et qui lui arrivaient, portés par une rumeur
de foule lente. Il fallait dormir. Mais elle comptait des tentes noires ;
derrière ses paupières paissaient des chameaux immobiles ; d'immen-
ses solitudes tournoyaient en elle. Oui, pourquoi était-elle venue ?
Elle s'endormit sur cette question.

20 Elle se réveilla un peu plus tard. Le silence autour d'elle était
total. Mais, aux limites de la ville, des chiens enroués hurlaient dans
la nuit muette. Janine frissonna. Elle se retourna encore sur elle-
même, sentit contre la sienne l'épaule dure de son mari et, tout d'un
coup, à demi endormie, se blottit contre lui. Elle dérivait sur le
25 sommeil sans s'y enfoncer, elle s'accrochait à cette épaule avec une
avidité inconsciente, comme à son port le plus sûr. Elle parlait,
mais sa bouche n'émettait aucun son. Elle parlait, mais c'est à peine
si elle s'entendait elle-même. Elle ne sentait que la chaleur de Marcel.
Depuis plus de vingt ans, chaque nuit, ainsi, dans sa chaleur, eux
30 deux toujours, même malades, même en voyage, comme à présent...
Qu'aurait-elle fait d'ailleurs, seule à la maison ? Pas d'enfant !
N'était-ce pas cela qui lui manquait ? Elle ne savait pas. Elle suivait
Marcel, voilà tout, contente de sentir que quelqu'un avait besoin
d'elle. Il ne lui donnait pas d'autre joie que de se savoir nécessaire.

---

[1] *restaurant*   (here) dining room of their hotel

Sans doute ne l'aimait-il pas. L'amour, même haineux, n'a pas ce
visage renfrogné. Mais quel est son visage? Ils s'aimaient dans la
nuit, sans se voir, à tâtons. Y a-t-il un autre amour que celui des
ténèbres, un amour qui crierait en plein jour? Elle ne savait pas,
mais elle savait que Marcel avait besoin d'elle et qu'elle avait   5
besoin de ce besoin, qu'elle en vivait la nuit et le jour, la nuit surtout,
chaque nuit, où il ne voulait pas être seul, ni vieillir, ni mourir,[1]
avec cet air buté qu'il prenait et qu'elle reconnaissait parfois sur
d'autres visages d'hommes, le seul air commun de ces fous qui se
camouflent sous des airs de raison, jusqu'à ce que le délire les prenne   10
et les jette désespérément vers un corps de femme pour y enfouir,
sans désir, ce que la solitude et la nuit leur montrent d'effrayant.
    Marcel remua un peu comme pour s'éloigner d'elle. Non, il ne
l'aimait pas, il avait peur de ce qui n'était pas elle, simplement, et
elle et lui depuis longtemps auraient dû se séparer, et dormir seuls   15
jusqu'à la fin. Mais qui peut dormir toujours seul? Quelques
hommes le font, que la vocation ou le malheur ont retranchés des
autres et qui couchent alors tous les soirs dans le même lit que la
mort. Marcel, lui, ne le pourrait jamais, lui surtout, enfant faible et
désarmé, que la douleur effarait toujours, son enfant, justement, qui   20
avait besoin d'elle et qui, au même moment, fit entendre une sorte
de gémissement. Elle se serra un peu plus contre lui, posa la main
sur sa poitrine. Et, en elle-même, elle l'appela du nom d'amour
qu'elle lui donnait autrefois et que, de loin en loin encore, ils
employaient entre eux, mais sans plus penser à ce qu'ils disaient.   25
    Elle l'appela de tout son cœur. Elle aussi, après tout, avait besoin
de lui, de sa force, de ses petites manies, elle aussi avait peur de
mourir. «Si je surmontais cette peur, je serais heureuse...» Aussitôt,
une angoisse sans nom l'envahit. Elle se détacha de Marcel. Non,
elle ne surmontait rien, elle n'était pas heureuse, elle allait mourir,   30
en vérité, sans avoir été délivrée. Son cœur lui faisait mal, elle
étouffait sous un poids immense dont elle découvrait soudain qu'elle
le traînait depuis vingt ans, et sous lequel elle se débattait maintenant

---

[1] *seul... vieillir... mourir* Isolation and the fear of death are themes
Camus shares with the Existentialists, but Camus sees them as bonds
between all men.

de toutes ses forces. Elle voulait être délivrée, même si Marcel, même si les autres ne l'étaient jamais! Réveillée, elle se dressa dans son lit [1] et tendit l'oreille à un appel qui lui sembla tout proche. Mais, des extrémités de la nuit, les voix exténuées et infatigables des
5 chiens de l'oasis lui parvinrent seules. Un faible vent s'était levé dont elle entendait couler les eaux [2] légères dans la palmeraie. Il venait du sud, là où le désert et la nuit se mêlaient maintenant sous le ciel à nouveau fixe, là où la vie s'arrêtait, où plus personne ne vieillissait ni ne mourait. [3] Puis les eaux du vent tarirent et elle ne
10 fut même plus sûre d'avoir rien entendu, sinon un appel muet qu'après tout elle pouvait à volonté faire taire ou percevoir, mais dont plus jamais elle ne connaîtrait le sens, si elle n'y répondait à l'instant. A l'instant, oui, cela du moins était sûr!

Elle se leva doucement et resta immobile, près du lit, attentive
15 à la respiration de son mari. Marcel dormait. L'instant d'après, la chaleur du lit la quittait, le froid la saisit. Elle s'habilla lentement, cherchant ses vêtements à tâtons dans la faible lumière qui, à travers les persiennes en façade, [4] venait des lampes de la rue. Les souliers à la main, elle gagna la porte. Elle attendit encore un moment,
20 dans l'obscurité, puis ouvrit doucement. Le loquet grinça, elle s'immobilisa. Son cœur battait follement. Elle tendit l'oreille et, rassurée par le silence, tourna encore un peu la main. La rotation du loquet lui parut interminable. Elle ouvrit enfin, se glissa dehors, et referma la porte avec les mêmes précautions. Puis, la joue collée

---

[1] *se dressa dans son lit* sat up in bed

[2] *couler les eaux* Camus is here beginning to build his imagery around physical phenomena (the waters of the wind are flowing) in preparation for the more complex spiritual phenomena to come. Similar images based on flowing water will be particularly important in the last story here, *La Pierre qui pousse.*

[3] *où... mourait* where no one grew old or died any more

[4] *à travers les persiennes en façade* The windows of French houses and hotels are normally equipped with heavy wooden or metal shutters (*persiennes*) which are closed at night. They have long horizontal slits to let in light and air, like Venetian blinds, and are sometimes termed Venetian shutters in English. In Camus' story the hotel room looks out on the street and hence the window and its shutters are "*en façade.*"

contre le bois, elle attendit. Au bout d'un instant, elle perçut, lointaine, la respiration de Marcel. Elle se retourna, reçut contre le visage l'air glacé de la nuit et courut le long de la galerie. La porte de l'hôtel était fermée. Pendant qu'elle manœuvrait le verrou, le veilleur de nuit parut dans le haut de l'escalier, le visage brouillé, et lui parla en arabe. «Je reviens», dit Janine, et elle se jeta dans la nuit.

Des guirlandes d'étoiles descendaient du ciel noir au-dessus des palmiers et des maisons. Elle courait le long de la courte avenue, maintenant déserte, qui menait au fort. Le froid, qui n'avait plus à lutter contre le soleil, avait envahi la nuit; l'air glacé lui brûlait les poumons. Mais elle courait, à demi aveugle, dans l'obscurité. Au sommet de l'avenue, pourtant, des lumières apparurent, puis descendirent vers elle en zigzaguant. Elle s'arrêta, perçut un bruit d'élytres [1] et, derrière les lumières qui grossissaient, vit enfin d'énormes burnous sous lesquels étincelaient des roues fragiles de bicyclettes. Les bournous la frôlèrent; trois feux rouges surgirent dans le noir derrière elle, pour disparaître aussitôt. Elle reprit sa course vers le fort. Au milieu de l'escalier, la brûlure de l'air dans ses poumons devint si coupante qu'elle voulut s'arrêter. Un dernier élan la jeta malgré elle sur la terrasse, contre le parapet qui lui pressait maintenant le ventre. Elle haletait et tout se brouillait devant ses yeux. La course ne l'avait pas réchauffée, elle tremblait encore de tous ses membres. Mais l'air froid qu'elle avalait par saccades coula bientôt régulièrement en elle, une chaleur timide commença de naître au milieu des frissons. Ses yeux s'ouvrirent enfin sur les espaces de la nuit.

Aucun souffle, aucun bruit, sinon, parfois, le crépitement étouffé des pierres que le froid réduisait en sable, ne venait troubler la solitude et le silence qui entouraient Janine. Au bout d'un instant, pourtant, il lui sembla qu'une sorte de giration pesante entraînait le ciel au-dessus d'elle. Dans les épaisseurs de la nuit sèche et froide, des milliers d'étoiles se formaient sans trêve et leurs glaçons étincelants, aussitôt détachés, commençaient de glisser insensiblement vers l'horizon. Janine ne pouvait s'arracher à la contemplation de ces

---

[1] *élytres* elytra, one pair of wings on certain insects. The reference is to the whirring noise of the oncoming bicycles.

feux à la dérive. Elle tournait avec eux et le même cheminement
immobile la réunissait peu à peu à son être le plus profond, où le
froid et le désir maintenant se combattaient. Devant elle, les étoiles
tombaient, une à une, puis s'éteignaient parmi les pierres du désert,
5 et à chaque fois Janine s'ouvrait un peu plus à la nuit. Elle respirait,
elle oubliait le froid, le poids des êtres, la vie démente ou figée, la
longue angoisse de vivre et de mourir. Après tant d'années où,
fuyant devant la peur, elle avait couru follement, sans but, elle
s'arrêtait enfin. En même temps, il lui semblait retrouver ses racines,
10 la sève montait à nouveau dans son corps qui ne tremblait plus.
Pressée de tout son ventre contre le parapet, tendue vers le ciel
en mouvement, elle attendait seulement que son cœur encore bouleversé s'apaisât à son tour et que le silence se fît en elle. Les dernières étoiles des constellations laissèrent tomber leurs grappes [1] un
15 peu plus bas sur l'horizon du désert, et s'immobilisèrent. Alors, avec
une douceur insupportable, l'eau de la nuit commença d'emplir
Janine, submergea le froid, monta peu à peu du centre obscur de
son être et déborda en flots ininterrompus jusqu'à sa bouche pleine
de gémissements. [2] L'instant d'après, le ciel entier s'étendait au-
20 dessus d'elle, renversée sur la terre froide.

Quand Janine rentra, avec les mêmes précautions, Marcel
n'était pas réveillé. Mais il grogna lorsqu'elle se coucha et, quelques
secondes après, se dressa brusquement. Il parla et elle ne comprit
pas ce qu'il disait. Il se leva, donna la lumière qui la gifla en plein
25 visage. Il marcha en tanguant vers le lavabo et but longuement à la
bouteille d'eau minérale [3] qui s'y trouvait. Il allait se glisser sous les
draps quand, un genou sur le lit, il la regarda, sans comprendre. Elle
pleurait, de toutes ses larmes, [4] sans pouvoir se retenir. «Ce n'est
rien, mon chéri, disait-elle, ce n'est rien.»

[1] *grappes*   bunches (of grapes)
[2] *Alors... gémissements.*   Thus, too, Meursault at the end of *L'Etranger*
had opened himself to "*la tendre indifférence*" of the world on a similar starry
night. The water image has already been used and will recur.
[3] *bouteille d'eau minérale*   Many Frenchmen drink bottled mineral
water both for its stated curative powers and to avoid drinking from perhaps
unsafe local supplies.
[4] *de toutes ses larmes*   as hard as she could, unrestrainedly

questions et sujets à développer

1. Pourquoi est-ce que Camus donne à Marcel "l'air d'un faune boudeur"? (p. 5)

2. Faites le contraste entre Marcel, Janine, et les Arabes quant à leur façon de se tenir dans l'autocar. (pp. 5–8)

3. Pourquoi l'autocar semble-t-il sur le point de stopper? (p. 5)

4. Indiquez à l'aide d'exemples précis comment Camus suggère que la nature autour du car est non seulement vivante mais menaçante. (pp. 5–7)

5. Pourquoi Janine ne pouvait-elle pas se baisser? (p. 6)

6. Pourquoi Janine a-t-elle épousé Marcel? (pp. 6–7)

7. Décrivez la vie de Marcel. (pp. 8–9)

8. Pourquoi Janine n'aime-t-elle pas la passion de Marcel pour l'argent? (p. 8)

9. Discutez le sens de cette phrase: "Et il faut, en effet, s'abriter du besoin." (p. 8)

10. Pourquoi Janine accepte-t-elle d'accompagner son mari? (p. 9)

11. A quelles fins Camus fait-il apparaître les bergers arabes? (pp. 10–11)

12. Racontez l'arrivée du car dans l'oasis. (p. 11)

13. Pourquoi Camus note-t-il que les vitres de l'hôtel sont sales? (p. 11)

14. Quel est l'effet produit sur le lecteur par la description de la chambre d'hôtel? (p. 12)

15. Quelles peuvent être les pensées de Janine, seule, dans sa chambre d'hôtel? (p. 12)

16. Que pense Camus du décor de la salle à manger? (pp. 12–13)

17. Quel est le sens ironique de "cette victoire des cuisiniers sur les prophètes"? (p. 13)

18. Pourquoi Janine aurait-elle voulu tenir moins de place? (p. 13)

19. Pourquoi les Arabes se rangeaient-ils "sans paraître les voir"? (p. 13)

20. Quelle impression Camus veut-il créer quand il décrit les roses pourries de décembre et les grenades sèches et véreuses? (p. 15)

21. Pourquoi Camus fait-il une si longue description de cet Arabe qui marche droit sur eux? (pp. 15–16)

22. Indiquez le sens d'irréalité au long de la montée sur la terrasse. (pp. 16–17)

23. Décrivez la transformation qui s'accomplit dans l'âme de Janine. (pp. 17–19)

24. Commentez l'expression: "seigneurs misérables et libres d'un étrange royaume." (p. 19)

25. Discutez le sens de cette phrase (qui comprend le titre du recueil): "Elle savait seulement que ce royaume, de tout temps, lui avait été promis et que jamais, pourtant, il ne serait le sien, plus jamais, sinon à ce fugitif instant, peut-être, où elle rouvrit les yeux sur le ciel soudain immobile..." (pp. 18–19)

26. Indiquez les pensées de Marcel au sujet de Janine au moment où ils quittent la terrasse. (p. 19)

27. Pourquoi Janine est-elle si malade après la visite sur la terrasse? (pp. 19–20)

28. Quelle est, pour Janine, l'importance de Marcel? (pp. 20–21)

29. Quel est ce poids immense dont Janine veut être délivrée? (pp. 21–22)

30. Comment s'accomplit cette union de Janine avec la nuit? (pp. 22–24)

31. Quelle interprétation donnez-vous à la dernière phrase? (p. 24)

32. Pourquoi Camus peut-il qualifier la conduite de Janine d'adultère?

33. Tracez le rôle du vent, du sable, et du froid dans l'histoire.

34. Indiquez les différentes attitudes de Marcel et de Janine envers le pays qu'ils traversent.

35. Que symbolisent (ou que suggèrent) les Arabes?

36. Indiquez le rôle des espaces fermés et des espaces ouverts (l'autocar, etc.; le panorama de la terrasse, etc.).

37. Développez les réflexions de Janine sur les affaires commerciales de son mari avant et au cours du voyage.

▣ le renégat

(résumé)

le renégat: un esprit confus

In the land to the south, in that "royaume des pierres où nulle vie n'apparaissait," toward which Janine had looked so longingly, Camus imagines a terrible kingdom of evil, the negation of all that Janine had envisioned and the embodiment of all that man must avoid: the rejection by man of his love for humanity in favor of the direct pursuit of hatred. Here, in a surrealist allegory, man, not blind or indifferent and random as Nature is, consciously wills to be cruel and evil, so evil that even the victims rejoice in their tortures.

The tale is told through the disordered thoughts of a half-insane missionary. From childhood he had been filled with hate. He had trained as a missionary, longing for a life of suffering, for he had understood Catholicism to mean only a recognition of the vileness of man. And so he had rejoiced on hearing of this strange kingdom, a city of salt whose inhabitants know only cruelty: they would offer an opportunity to suffer for the Lord. The story is subtitled "Un Esprit confus."

He longed for power, and how better to gain it than in subduing these infidels to his Christ? So he had gone to the white city of salt, burning under the African sun and ruled over by the Blacks. They captured him, beat him, and locked him in the temple. Then began the tortures which he had wanted and which, at first, he greeted with derisive laughter. One day they tore out his tongue and left him chained and bleeding as an offering to their god of cruelty. Now he came to adore this new god as he had never adored before, wholly given over to this brute power. He learned to deny everything of the former religion which he had thought he believed: only cruelty and immortal hatred merited adoration. He was now a willing slave of evil incarnate, a confused mind.

Then the French troops arrive and will return permanently in a few days. A Catholic priest is on his way, almost there. Fearing now for the reign of his god, the renegade, the slave, escapes, taking a gun and preparing to ambush the missionary. He sees the camels in the distance bearing a guide and the new priest, whom he shoots and kills. The priest smiles at him as he dies, however. The renegade beats in his head to kill the smile, but is puzzled to find himself weeping.

The noise of the rifle brings his masters to torture him, reasserting the joy of cruelty and hate. They tie him, spread-armed, across a saddle and leave him, crucified, to die in the desert. In a last vision the voice he thought he had stilled within him, but which had brought the tears a moment before, now asks of this renegade, confused mind, "Si tu consens à mourir pour la haine et la puissance, qui nous pardonnera?" So he calls on his brother men not to abandon him, pleading that the city of mercy shall be built where there had been the city of hate. But his master fills his mouth with a handful of salt.

The renegade, like Meursault of *L'Etranger* in his final vision, is another of Camus' modern Christ figures; like Meursault, he is an ironic figure to be read in reverse until his final moment of mystic understanding. He is, however, a Christ whose kingdom is of this earth, Man's Kingdom.

GRADUATE SCHOOL
U. S. DEPARTMENT OF AGRICULTURE

Date __June 14   1965__

To the Instructor:

Name __Bruce A. Wright__

Course No. __2-68__   Title __Reading French__

Room __610-C   FAA__   Day __M-W__

The above named student has been given permission to change
(his, ~~her~~) record from __credit__ to __audit__. This change
should be made on your class sheet.

Constance G. Coblenz
Registrar

🔄 les muets

introduction

"Les Muets" is a simpler tale, more direct than "La Femme adultère" and "Le Renégat," and more immediately understandable because it makes less use of complex symbolism. Like Homer's *Iliad*, which begins with an annoyed Achilles withdrawn into his tent, "Les Muets" begins with a man who has, under provocation, withdrawn into angry silence. But this is not the Exile of the hero who will in time return to be at one with his fellow man, even with the man who has provoked him, as does Achilles. Nor does it show man's Kingdom; rather, man's dangerous, voluntary isolation is its theme. Unlike the "esclave bavard" of "Le Renégat," whose chatter makes up the entire story, the hero of this one and all his companions find themselves in a situation too fraught with pain and hurt pride to be able to talk. The tale is the straightforward recital of what happens when Man deliberately thus isolates himself, an account of how not to live. At the very end, however, in pained awareness of his isolation, the hero of the story will draw close to his wife and to nature and wish that he might go away and start all over again.

ⓢ les muets

On était au plein de l'hiver et cependant une journée radieuse se
levait sur la ville déjà active. Au bout de la jetée, la mer et le ciel se
confondaient dans un même éclat. Yvars, pourtant, ne les voyait pas.
Il roulait lourdement le long des boulevards qui dominent le port.
5 Sur la pédale fixe de la bicyclette, sa jambe infirme reposait, immobile, tandis que l'autre peinait pour vaincre les pavés encore mouillés
de l'humidité nocturne. Sans relever la tête, tout menu sur sa selle,
il évitait les rails de l'ancien tramway, il se rangeait d'un coup de
guidon brusque pour laisser passer les automobiles qui le doublaient
10 et, de temps en temps, il renvoyait du coude, sur ses reins, la
musette où Fernande avait placé son déjeuner. Il pensait alors avec
amertume au contenu de la musette. Entre les deux tranches de gros
pain, au lieu de l'omelette à l'espagnole qu'il aimait, ou du bifteck
frit dans l'huile, il avait seulement du fromage.

15   Le chemin de l'atelier ne lui avait jamais paru aussi long. Il
vieillissait, aussi. A quarante ans, et bien qu'il fût resté sec comme un
sarment de vigne, les muscles ne se réchauffent pas aussi vite.
Parfois, en lisant des comptes rendus sportifs où l'on appelait vétéran
un athlète de trente ans, il haussait les épaules. «Si c'est un vétéran,
20 disait-il à Fernande, alors, moi, je suis déjà aux allongés.» Pourtant,
il savait que le journaliste n'avait pas tout à fait tort. A trente ans,
le souffle fléchit déjà, imperceptiblement. A quarante, on n'est pas
aux allongés, non, mais on s'y prépare, de loin, avec un peu d'avance.
N'était-ce pas pour cela que depuis longtemps il ne regardait plus la
25 mer, pendant le trajet qui le menait à l'autre bout de la ville où se
trouvait la tonnellerie? Quand il avait vingt ans, il ne pouvait se
lasser de la contempler; elle lui promettait une fin de semaine
heureuse, à la plage. Malgré ou à cause de sa boiterie, il avait
toujours aimé la nage.[1] Puis les années avaient passé, il y avait eu

[1] *nage* Many of Camus' heroes—like their creator—enjoy swimming,
e.g. Meursault in *L'Etranger*, Rieux and Tarrou in *La Peste* and Janine in
La Femme adultère. In these contexts swimming takes on a ritual function, a
peaceful return to enveloping Nature, almost a return to the womb. Here
the unhappy Yvars has long had to abandon this life-giving relaxation.

Fernande, la naissance du garçon, et, pour vivre, les heures supplémentaires, à la tonnellerie le samedi, le dimanche chez des particuliers [1] où il bricolait. Il avait perdu peu à peu l'habitude de ces
journées violentes qui le rassasiaient. L'eau profonde et claire, le
fort soleil, les filles, la vie du corps, il n'y avait pas d'autre bonheur   5
dans son pays. Et ce bonheur passait avec la jeunesse. Yvars continuait d'aimer la mer, mais seulement à la fin du jour quand les
eaux de la baie fonçaient un peu. L'heure était douce sur la terrasse
de sa maison où il s'asseyait après le travail, content de sa chemise
propre que Fernande savait si bien repasser, et du verre d'anisette [2]   10
couvert de buée. Le soir tombait, une douceur brève s'installait dans
le ciel, les voisins qui parlaient avec Yvars baissaient soudain la
voix. Il ne savait pas alors s'il était heureux, ou s'il avait envie de
pleurer. Du moins, il était d'accord dans ces moments-là, il n'avait
rien à faire qu'à [3] attendre, doucement, sans trop savoir quoi.   15

Les matins où il regagnait son travail, au contraire, il n'aimait
plus regarder la mer, toujours fidèle au rendez-vous, mais qu'il ne
reverrait qu'au soir. Ce matin-là, il roulait, la tête baissée, plus
pesamment encore que d'habitude: le cœur aussi était lourd. Quand
il était rentré de la réunion, la veille au soir, et qu'il avait annoncé   20
qu'on reprenait le travail: «Alors, avait dit Fernande joyeuse, le
patron vous augmente?» Le patron n'augmentait rien du tout,
la grève avait échoué. Ils n'avaient pas bien manœuvré, on devait le
reconnaître. Une grève de colère, et le syndicat [4] avait eu raison de
suivre [5] mollement. Une quinzaine d'ouvriers, d'ailleurs, ce n'était   25
pas grand-chose; le syndicat tenait compte des autres tonnelleries qui
n'avaient pas marché. [6] On ne pouvait pas trop leur en vouloir. La
tonnellerie, menacée par la construction des bateaux et des camions-
citernes, n'allait pas fort. On faisait de moins en moins de barils et
de bordelaises; on réparait surtout les grands foudres qui existaient   30

---

[1] *chez des particuliers* in various private houses
[2] *anisette* cf. the aroma which Janine had disliked, p. 9.
[3] *ne... rien... que* nothing . . . except
[4] *syndicat (de travail)* union
[5] *suivre* (here) to back up, support
[6] *marché* (here) gone along, cooperated

déjà. Les patrons voyaient leurs affaires compromises, c'était vrai,
mais ils voulaient quand même préserver une marge de bénéfices ;
le plus simple leur paraissait encore de freiner les salaires, malgré la
montée des prix. Que peuvent faire des tonneliers quand la tonnel-
5 lerie disparaît ? On ne change pas de métier quand on a pris la peine
d'en apprendre un ; celui-là était difficile, il demandait un long
apprentissage. Le bon tonnelier, celui qui ajuste ses douelles courbes,
les resserre au feu et au cercle de fer, presque hermétiquement, sans
utiliser le rafia ou l'étoupe, était rare. Yvars le savait et il en était
10 fier. Changer de métier n'est rien, mais renoncer à ce qu'on sait, à
sa propre maîtrise, n'est pas facile. Un beau métier sans emploi, on
était coincé, il fallait se résigner. Mais la résignation non plus n'est
pas facile. Il était difficile d'avoir la bouche fermée, de ne pas pouvoir
vraiment discuter et de reprendre la même route, tous les matins,
15 avec une fatigue qui s'accumule, pour recevoir, à la fin de la semaine,
seulement ce qu'on veut bien [1] vous donner, et qui suffit de moins en
moins.

Alors, ils s'étaient mis en colère. Il y en avait deux ou trois qui
hésitaient, mais la colère les avait gagnés aussi après les premières
20 discussions avec le patron. Il avait dit en effet, tout sec,[2] que c'était
à prendre ou à laisser. Un homme ne parle pas ainsi. «Qu'est-ce qu'il
croit ! avait dit Esposito, qu'on va baisser le pantalon ?» Le patron
n'était pas un mauvais bougre, d'ailleurs. Il avait pris la succession
du père, avait grandi dans l'atelier et connaissait depuis des années
25 presque tous les ouvriers. Il les invitait parfois à des casse-croûtes,
dans la tonnellerie ; on faisait griller des sardines ou du boudin sur
des feux de copeaux et, le vin aidant, il était vraiment très gentil.
A la nouvelle année, il donnait toujours cinq bouteilles de vin fin à
chacun des ouvriers, et souvent, quand il y avait parmi eux un
30 malade ou simplement un événement, mariage ou communion, il
leur faisait un cadeau d'argent. A la naissance de sa fille, il y avait
eu des dragées pour tout le monde. Deux ou trois fois, il avait
invité Yvars à chasser dans sa propriété du littoral. Il aimait bien ses
ouvriers, sans doute, et il rappelait souvent que son père avait

[1] *veut bien* is willing
[2] *tout sec* (here) flatly

débuté comme apprenti. Mais il n'était jamais allé chez eux, il ne se rendait pas [1] compte. Il ne pensait qu'à lui, parce qu'il ne connaissait que lui, [1] et maintenant c'était à prendre ou à laisser. Autrement dit, il s'était buté à son tour. Mais, lui, il pouvait se le permettre.

Ils avaient forcé la main au syndicat, l'atelier avait fermé ses portes. «Ne vous fatiguez pas pour les piquets de grève, avait dit le patron. Quand l'atelier ne travaille pas, je fais des économies.» Ce n'était pas vrai, mais ça n'avait pas arrangé les choses puisqu'il leur disait en pleine figure qu'il les faisait travailler par charité. Esposito était fou de rage et lui avait dit qu'il n'était pas un homme. L'autre avait le sang chaud et il fallut les séparer. Mais, en même temps, les ouvriers avaient été impressionnés. Vingt jours de grève, les femmes tristes à la maison, deux ou trois d'entre eux découragés, et pour finir, le syndicat avait conseillé de céder, sur la promesse d'un arbitrage et d'une récupération des journées de grève par des heures supplémentaires. Ils avaient décidé la reprise du travail. En crânant, bien sûr, en disant que ce n'était pas cuit, que c'était à revoir. Mais ce matin, une fatigue qui ressemblait au poids de la défaite, le fromage au lieu de la viande, et l'illusion n'était plus possible. Le soleil avait beau briller, la mer ne promettait plus rien. Yvars appuyait sur son unique pédale et, à chaque tour de roue, il lui semblait vieillir un peu plus. Il ne pouvait penser à l'atelier, aux camarades et au patron qu'il allait retrouver, sans que son cœur s'alourdît un peu plus. Fernande s'était inquiétée: «Qu'est-ce que vous allez lui dire? — Rien.» Yvars avait enfourché sa bicyclette, et secouait la tête. Il serrait les dents; son petit visage brun et ridé, aux traits fins, s'était fermé. «On travaille. Ça suffit.» Maintenant il roulait, les dents toujours serrées, avec une colère triste et sèche qui assombrissait jusqu'au ciel lui-même.

Il quitta le boulevard, et la mer, s'engagea dans les rues humides du vieux quartier espagnol. Elles débouchaient dans une zone occupée seulement par des remises, des dépôts de ferraille et des

[1] *il ne se rendait pas... ne connaissait que lui...* The isolation theme returns and, in this case, it explains the boss's ignorance. In *La Peste* Camus emphasizes the point (which he shares with Socrates) that men are not evil but rather ignorant.

garages, où s'élevait l'atelier: une sorte de hangar, maçonné jusqu'à mi-hauteur, vitré ensuite jusqu'au toit de tôle ondulée.[1] Cet atelier donnait sur l'ancienne tonnellerie, une cour encadrée de vieux préaux, qu'on avait abandonnée, lorsque l'entreprise s'était agrandie et qui n'était plus maintenant qu'un dépôt de machines usagées et de vieilles futailles. Au-delà de la cour, séparé d'elle par une sorte de chemin couvert en vieilles tuiles commençait le jardin du patron au bout duquel s'élevait la maison. Grande et laide, elle était avenante, cependant, à cause de sa vigne vierge et du maigre chèvrefeuille qui entourait l'escalier extérieur.

Yvars vit tout de suite que les portes de l'atelier étaient fermées. Un groupe d'ouvriers se tenait en silence devant elles. Depuis qu'il travaillait ici, c'était la première fois qu'il trouvait les portes fermées en arrivant. Le patron avait voulu marquer le coup.[2] Yvars se dirigea vers la gauche, rangea sa bicyclette sous l'appentis qui prolongeait le hangar de ce côté et marcha vers la porte. Il reconnut de loin Esposito, un grand gaillard brun et poilu qui travaillait à côté de lui, Marcou, le délégué syndical, avec sa tête de tenorino, Saïd, le seul Arabe de l'atelier, puis tous les autres qui, en silence, le regardaient venir. Mais avant qu'il les eût rejoints, ils se retournèrent soudain vers les portes de l'atelier qui venaient de s'entrouvrir. Ballester, le contremaître, apparaissait dans l'embrasure. Il ouvrait l'une des lourdes portes et, tournant alors le dos aux ouvriers, la poussait lentement sur son rail de fonte.

Ballester, qui était le plus vieux de tous, désapprouvait la grève, mais s'était tu à partir du moment où Esposito lui avait dit qu'il servait les intérêts du patron. Maintenant, il se tenait près de la porte, large et court dans son tricot bleu marine, déjà pieds nus (avec Saïd, il était le seul qui travaillât pieds nus) et il les regardait entrer un à un, de ses yeux tellement clairs qu'ils paraissaient sans couleur dans son vieux visage basané, la bouche triste sous la moustache épaisse et tombante. Eux se taisaient, humiliés de cette entrée de vaincus, furieux de leur propre silence, mais de moins en moins capables de le rompre à mesure qu'il se prolongeait. Ils

---

[1] *ondulée*   because made of corrugated metal
[2] *marquer le coup*   emphasize the point

passaient, sans regarder Ballester dont ils savaient qu'il exécutait un
ordre en les faisant entrer de cette manière, et dont l'air amer et
chagrin les renseignait sur ce qu'il pensait. Yvars, lui, le regarda.
Ballester, qui l'aimait bien, hocha la tête sans rien dire.

Maintenant, ils étaient tous au petit vestiaire, à droite de
l'entrée: des stalles ouvertes, séparées par des planches de bois blanc[1]
où l'on avait accroché, de chaque côté, un petit placard fermant à
clé; la dernière stalle à partir de l'entrée, à la rencontre des murs du
hangar, avait été transformée en cabine de douches, au-dessus d'une
rigole d'écoulement creusée à même le sol de terre battue. Au centre
du hangar, on voyait, selon les places de travail, des bordelaises déjà
terminées, mais cerclées lâches, et qui attendaient le forçage au feu,
des bancs épais creusés d'une longue fente (et pour certains d'entre
eux des fonds de bois circulaires, attendant d'être affûtés à la
varlope,[2] y étaient glissés), des feux noircis enfin. Le long du mur,
à gauche de l'entrée, s'alignaient les établis. Devant eux s'entassaient
les piles de douelles à raboter. Contre le mur de droite, non loin du
vestiaire, deux grandes scies mécaniques, bien huilées, fortes et
silencieuses, luisaient.

Depuis longtemps, le hangar était devenu trop grand pour la
poignée d'hommes qui l'occupaient. C'était un avantage pendant les
grandes chaleurs, un inconvénient l'hiver. Mais aujourd'hui, dans
ce grand espace, le travail planté là,[3] les tonneaux échoués dans les
coins, avec l'unique cercle qui réunissait les pieds des douelles
épanouies dans le haut, comme de grossières fleurs de bois, la poussière de sciure qui recouvrait les bancs, les caisses d'outils et les
machines, tout donnait à l'atelier un air d'abandon. Ils le regardaient,
vêtus maintenant de leurs vieux tricots, de leurs pantalons délavés
et rapiécés, et ils hésitaient. Ballester les observait. «Alors, dit-il,
on y va?» Un à un, ils gagnèrent leur place sans rien dire. Ballester
allait d'un poste à l'autre et rappelait brièvement le travail à commencer ou à terminer. Personne ne répondait. Bientôt, le premier

[1] *bois blanc*   unpainted wood
[2] *affûtés à la varlope*   planed
[3] *planté là*   The sense is that the jobs at hand had been stopped and
left where they were, "planted there," "dropped."

marteau résonna contre le coin de bois ferré[1] qui enfonçait un cercle sur la partie renflée d'un tonneau, une varlope gémit dans un nœud de bois, et l'une des scies, lancée par Esposito, démarra avec un grand bruit de lames froissées. Saïd, à la demande, apportait des douelles, ou allumait les feux de copeaux sur lesquels on plaçait les tonneaux pour les faire gonfler dans leur corset de lames ferrées. Quand personne ne le réclamait, il rivait aux établis, à grands coups de marteau, les larges cercles rouillés, l'odeur des copeaux brûlés commençait de remplir le hangar. Yvars, qui rabotait et ajustait les douelles taillées par Esposito, reconnut le vieux parfum et son cœur se desserra un peu. Tous travaillaient en silence, mais une chaleur, une vie renaissaient peu à peu dans l'atelier. Par les grands vitrages, une lumière fraîche remplissait le hangar. Les fumées bleuissaient dans l'air doré; Yvars entendit même un insecte bourdonner près de lui.

À ce moment, la porte qui donnait dans l'ancienne tonnellerie s'ouvrit sur le mur du fond, et M. Lassalle, le patron, s'arrêta sur le seuil. Mince et brun, il avait à peine dépassé la trentaine. La chemise blanche largement ouverte sur un complet de gabardine beige, il avait l'air à l'aise dans son corps. Malgré son visage très osseux, taillé en lame de couteau, il inspirait généralement la sympathie,[2] comme la plupart des gens que le sport a libérés dans leurs attitudes.[3] Il semblait pourtant un peu embarrassé en franchissant la porte. Son bonjour fut moins sonore que d'habitude; personne en tout cas n'y répondit. Le bruit des marteaux hésita, se désaccorda un peu, et reprit de plus belle. M. Lassalle fit quelques pas indécis, puis il avança vers le petit Valery, qui travaillait avec eux depuis un an seulement. Près de la scie mécanique, à quelques pas d'Yvars, il plaçait un fond sur une bordelaise et le patron le regardait faire. Valery continuait à travailler, sans rien dire. «Alors, fils, dit M.

[1] *coin de bois ferré*   iron-tipped wedge

[2] *sympathie*   Like its cognates in Italian and Spanish, this word generally refers to a feeling of liking rather than sympathy, which is allied to pity or compassion.

[3] *attitudes*   Recalls Camus' own early passion for sports and his enjoyment of driving fast in sports cars, which actually led to his death.

Lassalle, ça va?» Le jeune homme devint tout d'un coup plus
maladroit dans ses gestes. Il jeta un regard à Esposito qui, près de
lui, entassait sur ses bras énormes une pile de douelles pour les
porter à Yvars. Esposito le regardait aussi, tout en continuant son
travail, et Valery repiqua le nez dans sa bordelaise sans rien ré-   5
pondre au patron. Lassalle, un peu interdit, resta un court moment
planté devant le jeune homme, puis il haussa les épaules et se retourna vers Marcou. Celui-ci, à califourchon sur son banc, finissait
d'affûter, à petits coups lents et précis, le tranchant d'un fond.
«Bonjour, Marcou», dit Lassalle, d'un ton plus sec. Marcou ne   10
répondit pas, attentif seulement à ne tirer de son bois que de très
légers copeaux. «Qu'est-ce qui vous prend,[1] dit Lassalle d'une
voix forte et en se tournant cette fois vers les autres ouvriers. On
n'a pas été d'accord, c'est entendu. Mais ça n'empêche pas qu'on
doive travailler ensemble. Alors, à quoi ça sert?» Marcou se leva,   15
souleva son fond, vérifia du plat de la main le tranchant circulaire,
plissa ses yeux langoureux avec un air de grande satisfaction et,
toujours silencieux, se dirigea vers un autre ouvrier qui assemblait
une bordelaise. Dans tout l'atelier, on n'entendait que le bruit des
marteaux et de la scie mécanique. «Bon, dit Lasalle, quand ça vous   20
aura passé, vous me le ferez dire par Ballester.»[2] A pas tranquilles,
il sortit de l'atelier.

   Presque tout de suite après, au-dessus du vacarme de l'atelier,
une sonnerie retentit deux fois. Ballester, qui venait de s'asseoir
pour rouler une cigarette, se leva pesamment et gagna la petite porte   25
du fond. Après son départ, les marteaux frappèrent moins fort; l'un
des ouvriers venait même de s'arrêter quand Ballester revint. De la
porte, il dit seulement: «Le patron vous demande, Marcou et
Yvars.» Le premier mouvement d'Yvars fut d'aller se laver les
mains, mais Marcou le saisit au passage[3] par le bras et il le suivit en   30
boitant.

   Au-dehors, dans la cour, la lumière était si fraîche, si liquide,

---

[1] *Qu'est-ce qui vous prend*   What's got into you?
[2] *quand ça... par Ballester*   when you get over this, have Ballester let me
know.
   [3] *au passage*   in passing, as he went by

qu'Yvars la sentait sur son visage et sur ses bras nus. Ils gravirent l'escalier extérieur, sous le chèvrefeuille où apparaissaient déjà quelques fleurs. Quand ils entrèrent dans le corridor tapissé de diplômes, ils entendirent des pleurs d'enfant et la voix de M. Las-
5 salle qui disait: «Tu la coucheras après le déjeuner. On appellera le docteur si ça ne lui passe pas.» Puis le patron surgit dans le corridor et les fit entrer dans le petit bureau qu'ils connaissaient déjà, meublé de faux rustique, les murs ornés de trophées sportifs. «Asseyez-vous», dit Lassalle en prenant place derrière son bureau.
10 Ils restèrent debout. «Je vous ai fait venir parce que vous êtes, vous, Marcou, le délégué et, toi, Yvars, mon plus vieil employé après Ballester. Je ne veux pas reprendre les discussions qui sont maintenant finies. Je ne peux pas, absolument pas, vous donner ce que vous demandez. L'affaire a été réglée, nous sommes arrivés à la
15 conclusion qu'il fallait reprendre le travail. Je vois que vous m'en voulez et ça m'est pénible, je vous le dis comme je le sens. Je veux simplement ajouter ceci: ce que je ne peux pas faire aujourd'hui, je pourrai peut-être le faire quand les affaires reprendront. Et si je peux le faire, je le ferai avant même que vous me le demandiez. En
20 attendant, essayons de travailler en accord.» Il se tut, sembla réfléchir, puis leva les yeux sur eux. «Alors?» dit-il. Marcou regardait au-dehors. Yvars, les dents serrées, voulait parler, mais ne pouvait pas. «Écoutez, dit Lassalle, vous vous êtes tous butés. Ça vous passera. Mais quand vous serez devenus raisonnables, n'oubliez
25 pas ce que je viens de vous dire.» Il se leva, vint vers Marcou et lui tendit la main. «Chao!»[1] dit-il. Marcou pâlit d'un seul coup, son visage de chanteur de charme[2] se durcit et, l'espace d'une seconde, devint méchant. Puis il tourna brusquement les talons et sortit. Lassalle, pâle aussi, regarda Yvars sans lui tendre la main. «Allez
30 vous faire foutre»,[3] cria-t-il.

Quand ils rentrèrent dans l'atelier, les ouvriers déjeunaient. Ballester était sorti. Marcou dit seulement: «Du vent», et il regagna

---

[1] *Chao !*   French spelling of the Italian *Ciao*, either "O.K." or "Good-by" in this context

[2] *chanteur de charme*   (charm singer) popular singer

[3] *Allez vous faire foutre*   Go to hell

sa place de travail. Esposito s'arrêta de mordre dans son pain pour
demander ce qu'ils avaient répondu; Yvars dit qu'ils n'avaient rien
répondu. Puis, il alla chercher sa musette et revint s'asseoir sur le
banc où il travaillait. Il commençait de manger lorsque, non loin
de lui, il aperçut Saïd, couché sur le dos dans un tas de copeaux, le   5
regard perdu vers les verrières, bleuies par un ciel maintenant moins
lumineux. Il lui demanda s'il avait déjà fini. Saïd dit qu'il avait
mangé ses figues. Yvars s'arrêta de manger. Le malaise qui ne l'avait
pas quitté depuis l'entrevue avec Lassalle disparaissait soudain pour
laisser seulement place à une bonne chaleur. Il se leva en rompant   10
son pain et dit, devant le refus de Saïd, que la semaine prochaine
tout irait mieux. «Tu m'inviteras à ton tour», dit-il. Saïd sourit. Il
mordait maintenant dans un morceau du sandwich d'Yvars, mais
légèrement, comme un homme sans faim.

Esposito prit une vieille casserole et alluma un petit feu de   15
copeaux et de bois. Il fit réchauffer du café qu'il avait apporté dans
une bouteille. Il dit que c'était un cadeau pour l'atelier que son
épicier lui avait fait quand il avait appris l'échec de la grève. Un
verre à moutarde circula de main en main. A chaque fois, Esposito
versait le café déjà sucré. Saïd l'avala avec plus de plaisir qu'il   20
n'avait mis à manger. Esposito buvait le reste du café à même la
casserole brûlante, avec des clappements de lèvres et des jurons. A ce
moment, Ballester entra pour annoncer la reprise.

Pendant qu'ils se levaient et rassemblaient papiers et vaisselles
dans leurs musettes, Ballester vint se placer au milieu d'eux et dit   25
soudain que c'était un coup dur pour tous, et pour lui aussi, mais
que ce n'était pas une raison pour se conduire comme des enfants et
que ça ne servait à rien de bouder. Esposito, la casserole à la main, se
tourna vers lui; son épais et long visage avait rougi d'un coup. Yvars
savait ce qu'il allait dire, et que tous pensaient en même temps que   30
lui, qu'ils ne boudaient pas, qu'on leur avait fermé la bouche, c'était
à prendre ou à laisser, et que la colère et l'impuissance font parfois
si mal qu'on ne peut même pas crier. Ils étaient des hommes, voilà
tout, et ils n'allaient pas se mettre à faire des sourires et des mines.
Mais Esposito ne dit rien de tout cela, son visage se détendit enfin,   35
et il frappa doucement l'épaule de Ballester pendant que les autres

retournaient à leur travail. De nouveau les marteaux résonnèrent, le
grand hangar s'emplit du vacarme familier, de l'odeur des copeaux
et des vieux vêtements mouillés de sueur. La grande scie vrom-
bissait et mordait dans le bois frais de la douelle qu'Esposito poussait
5   lentement devant lui. A l'endroit de la morsure, une sciure mouillée
jaillissait et recouvrait d'une sorte de chapelure de pain les grosses
mains poilues, fermement serrées sur le bois, de chaque côté de la
lame rugissante. Quand la douelle était tranchée, on n'entendait plus
que le bruit du moteur.

10   Yvars sentait maintenant la courbature de son dos penché sur
la varlope. D'habitude, la fatigue ne venait que plus tard. Il avait
perdu son entraînement pendant ces semaines d'inaction, c'était
évident. Mais il pensait aussi à l'âge qui fait plus dur le travail des
mains, quand ce travail n'est pas de simple précision. Cette courbature
15   lui annonçait aussi la vieillesse. Là où les muscles jouent, le travail finit
par être maudit, il précède la mort, et les soirs de grands efforts,[1]
le sommeil justement est comme la mort. Le garçon voulait être
instituteur, il avait raison, ceux qui faisaient des discours sur le travail
manuel ne savaient pas de quoi ils parlaient.

20   Quand Yvars se redressa pour reprendre souffle et chasser
aussi ces mauvaises pensées, la sonnerie retentit à nouveau. Elle
insistait, mais d'une si curieuse manière, avec de courts arrêts et des
reprises impérieuses, que les ouvriers s'arrêtèrent. Ballester écoutait,
surpris, puis se décida et gagna lentement la porte. Il avait disparu
25   depuis quelques secondes quand la sonnerie cessa enfin. Ils reprirent
le travail. De nouveau, la porte s'ouvrit brutalement, et Ballester
courut vers le vestiaire. Il en sortit, chaussé d'espadrilles, enfilant sa
veste, dit à Yvars en passant: «La petite a eu une attaque. Je vais
chercher Germain», et courut vers la grande porte. Le docteur
30   Germain s'occupait de l'atelier; il habitait le faubourg. Yvars répéta
la nouvelle sans commentaires. Ils étaient autour de lui et se regardaient, embarrassés. On n'entendait plus que le moteur de la scie
mécanique qui roulait librement. «Ce n'est peut-être rien», dit l'un
d'eux. Ils regagnèrent leur place, l'atelier se remplit de nouveau de

---

[1] *les soirs de grands efforts*   The sense is "on evenings after great
efforts."

leurs bruits, mais ils travaillaient lentement, comme s'ils attendaient quelque chose.

Au bout d'un quart d'heure, Ballester entra de nouveau, déposa sa veste et, sans dire un mot, ressortit par la petite porte. Sur les verrières, la lumière fléchissait. Un peu après, dans les inter- 5 valles où la scie ne mordait pas le bois, on entendit le timbre mat d'une ambulance, d'abord lointaine, puis proche, et présente, maintenant silencieuse. Au bout d'un moment, Ballester revint et tous avancèrent vers lui. Esposito avait coupé le moteur. Ballester dit qu'en se déshabillant dans sa chambre, l'enfant était tombée 10 d'un coup, comme si on l'avait fauchée. «Ça, alors!» dit Marcou. Ballester hocha la tête et eut un geste vague vers l'atelier; mais il avait l'air bouleversé. On entendit à nouveau le timbre de l'ambu- lance. Ils étaient tous là, dans l'atelier silencieux, sous les flots de lumière jaune déversés par les verrières, avec leurs rudes [1] mains 15 inutiles qui pendaient le long des vieux pantalons couverts de sciure.

Le reste de l'après-midi se traîna. Yvars ne sentait plus que sa fatigue et son cœur toujours serré. Il aurait voulu parler. Mais il n'avait rien à dire et les autres non plus. Sur leurs visages taciturnes 20 se lisaient seulement le chagrin et une sorte d'obstination. Parfois, en lui, le mot malheur se formait, mais à peine, et il disparaissait aussitôt comme une bulle naît et éclate en même temps. Il avait envie de rentrer chez lui, de retrouver Fernande, le garçon, et la terrasse aussi. Justement, Ballester annonçait la clôture. Les machines 25 s'arrêtèrent. Sans se presser, ils commencèrent d'éteindre les feux et de ranger leur place, puis ils gagnèrent un à un le vestiaire. Saïd resta le dernier, il devait nettoyer les lieux de travail, et arroser le sol poussiéreux. Quand Yvars arriva au vestiaire, Esposito, énorme et velu, était déjà sous la douche. Il leur tournait le dos, tout en se 30 savonnant à grand bruit. D'habitude, on le plaisantait sur sa pudeur; ce grand ours, en effet, dissimulait obstinément ses parties nobles. Mais personne ne parut s'en apercevoir ce jour-là. Esposito sortit à reculons et enroula autour de ses hanches une serviette en forme de pagne. Les autres prirent leur tour et Marcou claquait vigoureusement 35

[1] *rudes* rough

ses flancs nus quand on entendit la grande porte rouler lentement
sur sa roue de fonte. Lassalle entra.

Il était habillé comme lors de sa première visite, mais ses
cheveux étaient un peu dépeignés. Il s'arrêta sur le seuil, contempla
5 le vaste atelier déserté, fit quelques pas, s'arrêta encore et regarda
vers le vestiaire. Esposito, toujours couvert de son pagne, se tourna
vers lui. Nu, embarrassé, il se balançait un peu d'un pied sur l'autre.
Yvars pensa que c'était à Marcou de dire quelque chose. Mais
Marcou se tenait, invisible, derrière la pluie d'eau qui l'entourait.
10 Esposito se saisit d'une chemise, et il la passait prestement quand
Lassalle dit: «Bonsoir», d'une voix un peu détimbrée, et se mit à
marcher vers la petite porte. Quand Yvars pensa qu'il fallait l'appeler,
la porte se refermait déjà.

Yvars se rhabilla alors sans se laver, dit bonsoir lui aussi, mais
15 avec tout son cœur, et ils lui répondirent avec la même chaleur. Il
sortit rapidement, retrouva sa bicyclette et, quand il l'enfourcha, sa
courbature. Il roulait maintenant dans l'après-midi finissant, à
travers la ville encombrée. Il allait vite, il voulait retrouver la vieille
maison et la terrasse. Il se laverait dans la buanderie avant de s'asseoir
20 et de regarder la mer qui l'accompagnait déjà, plus foncée que le
matin, au-dessus des rampes du boulevard. Mais la petite fille aussi
l'accompagnait et il ne pouvait s'empêcher de penser à elle.

A la maison, le garçon était revenu de l'école et lisait des illustrés.
Fernande demanda à Yvars si tout s'était bien passé. Il ne dit rien,
25 se lava dans la buanderie, puis s'assit sur le banc, contre le petit
mur de la terrasse. Du linge reprisé pendait au-dessus de lui, le ciel
devenait transparent; par-delà le mur, on pouvait voir la mer [1]
douce du soir. Fernande apporta l'anisette, deux verres, la gargoulette d'eau fraîche. Elle prit place près de son mari. Il lui raconta
30 tout, en lui tenant la main, comme aux premiers temps de leur
mariage. Quand il eut fini, il resta immobile, tourné vers la mer où
courait déjà, d'un bout à l'autre de l'horizon, le rapide crépuscule.
«Ah, c'est de sa faute!» dit-il. Il aurait voulu être jeune, et que
Fernande le fût encore, et ils seraient partis, de l'autre côté de
35 la mer.

[1] *la mer*   Note the return of the sea, and its mood.

questions et sujets à développer

1. L'histoire commence en hiver. Pourquoi?
2. Comparez les effets de climat ici et dans "La Femme adultère."
3. Pourquoi Camus choisit-il un héros qui boite?
4. Pourquoi Yvars pense-t-il avec amertume au contenu de la musette? (p. 34)
5. Pourquoi le chemin de l'atelier lui paraît-il si long aujourd'hui? (p. 34)
6. Quel est le rôle symbolique de la mer et de la nage au commencement de l'histoire? (pp. 34-35)
7. Quelle réponse y a-t-il à la question que pose Yvars "Que peuvent faire des tonneliers quand la tonnellerie disparaît"? (p. 36)
8. Commentez "Il ne pensait qu'à lui, parce qu'il ne connaissait que lui." Comparez le thème de l'isolement ici, et chez Janine et Marcel de "La Femme adultère." (p. 37)
9. Quelles sont les suggestions symboliques de la phrase "Le soleil avait beau briller, la mer ne promettait plus rien"? (p. 37)
10. Commentez les deux adjectifs dans l'expression "une colère triste et sèche." (p. 37)
11. Quelle est l'atmosphère de l'atelier et de ses environs? Donnez des indications précises. (pp. 37-38)
12. En quoi est-ce une entrée de vaincus qu'ils font? (p. 38)
13. A quoi sert la description plutôt minutieuse de l'atelier? (pp. 38-39)
14. Comparez l'insecte qu'Yvars entend bourdonner avec la mouche de la première page de "La Femme adultère." (p. 40)
15. Indiquez les pensées des ouvriers en apprenant la maladie de l'enfant. (pp. 44-45)
16. Commentez l'impuissance d'Yvars exprimée dans la phrase "Il aurait voulu parler." (p. 45)
17. La mer réapparaît à la fin de l'histoire. Expliquez son rôle. (p. 46)
18. Quand Yvars dit, à la fin, en parlant du patron, "Ah, c'est de sa faute," a-t-il raison? (p. 46)
19. Pourquoi Yvars désire-t-il partir? (p. 46)

20. Indiquez l'importance de l'état physique d'Yvars dans son
rôle symbolique : sa boiterie, sa fatigue, les douches, etc.

21. *L'Iliade*, aussi, traite de la colère, cette fois-ci celle d'Achille.
Si vous connaissez le poème d'Homère, quels sont ses rapports avec
l'histoire d'Yvars racontée par Camus ?

🝐 l'hôte

introduction

"L'Hôte" in French means both "host" and "guest." Although the latter translation is the one usually used in referring to Camus' story, overtones of the former sound clearly through the tale, which deals with the relationship of host and guest, with a French school teacher far out in the Algerian desert and an Arab prisoner brought to him to be conducted to the nearest prison: the Arab had committed a murder.

The taking of a human life is to most of us the ultimate crime, and Daru, the schoolteacher, feels a deep, primitive fury against his unwanted guest. But in turn the legal machinery of society has been set in motion, much as it was by Meursault's crime in *L'Etranger*, and it cannot now be stopped; moreover, Daru must cooperate by serving as escort to the prisoner, who will certainly be executed for his crime. And legal murder is no less murder to Camus. This is not, however, the sum of Daru's trials: in addition, he belongs irrevocably to the French culture and this, in Algeria, has set a barrier between him and his Arab prisoner, two worlds which have faced each other without understanding and hence without love. Daru, with hesitations, comes to understand what must be his relationship to the prisoner, who is still his fellow man. But he comes to it only slowly; and he can, in the time allotted to him, do nothing about the two societies which are estranged. In the end he finds himself alone, unable to forge the bonds with other men which man must have.

The story is gloomy and promises no easy happiness within the Algerian framework; Daru's effort is a failure, but is at least an effort in the right direction.

◪ l'hôte

L'instituteur regardait les deux hommes monter vers lui. L'un était à cheval, l'autre à pied. Ils n'avaient pas encore entamé le raidillon abrupt qui menait à l'école, bâtie au flanc d'une colline. Ils peinaient, progressant lentement dans la neige, entre les pierres, sur l'immense étendue du haut plateau désert. De temps en temps, le cheval bronchait visiblement. On ne l'entendait pas encore, mais on voyait le jet de vapeur qui sortait alors de ses naseaux. L'un des hommes, au moins, connaissait le pays. Ils suivaient la piste qui avait pourtant disparu depuis plusieurs jours sous une couche blanche et sale. L'instituteur calcula qu'ils ne seraient pas sur la colline avant une demi-heure. Il faisait froid ; il rentra dans l'école pour chercher un chandail.

Il traversa la salle de classe vide et glacée. Sur le tableau noir les quatre fleuves de France, dessinés avec quatre craies de couleurs différentes, coulaient vers leur estuaire depuis trois jours. La neige était tombée brutalement à la mi-octobre, après huit mois de sécheresse, sans que la pluie eût apporté une transition et la vingtaine d'élèves qui habitaient dans les villages disséminés sur le plateau ne venaient plus. Il fallait attendre le beau temps. Daru ne chauffait plus que l'unique pièce qui constituait son logement, attenant à la classe, et ouvrant aussi sur le plateau à l'est. Une fenêtre donnait encore, comme celles de la classe, sur le midi. De ce côté, l'école se trouvait à quelques kilomètres de l'endroit où le plateau commençait à descendre vers le sud. Par temps clair, on pouvait apercevoir les masses violettes du contrefort montagneux où s'ouvrait la porte du désert.

Un peu réchauffé, Daru retourna à la fenêtre d'où il avait, pour la première fois, aperçu les deux hommes. On ne les voyait plus. Ils avaient donc attaqué le raidillon. Le ciel était moins foncé : dans la nuit, la neige avait cessé de tomber. Le matin s'était levé sur une lumière sale qui s'était à peine renforcée à mesure que le plafond de nuages remontait. A deux heures de l'après-midi, on eût dit[1] que la journée commençait seulement. Mais cela valait

[1] *on eût dit*   literary form of *on aurait dit*

mieux que ces trois jours où l'épaisse neige tombait au milieu des
ténèbres incessantes, avec de petites sautes de vent qui venaient
secouer la double porte de la classe. Daru patientait alors de longues
heures dans sa chambre dont il ne sortait que pour aller sous l'appentis, soigner les poules et puiser dans la provision de charbon. Heureu-   5
sement, la camionnette de Tadjid, le village le plus proche au nord,
avait apporté le ravitaillement deux jours avant la tourmente. Elle
reviendrait dans quarante-huit heures.

Il avait d'ailleurs de quoi[1] soutenir un siège, avec les sacs de
blé qui encombraient la petite chambre et que l'administration lui   10
laissait en réserve pour distribuer à ceux de ses élèves dont les familles
avaient été victimes de la sécheresse. En réalité, le malheur les
avait tous atteints puisque tous étaient pauvres. Chaque jour, Daru
distribuait une ration aux petits. Elle leur avait manqué, il le savait
bien, pendant ces mauvais jours. Peut-être un des pères ou des   15
grands frères viendrait ce soir et il pourrait les ravitailler en grains.
Il fallait faire la soudure avec[2] la prochaine récolte, voilà tout. Des
navires de blé arrivaient maintenant de France, le plus dur était
passé. Mais il serait difficile d'oublier cette misère, cette armée de
fantômes haillonneux errant dans le soleil, les plateaux calcinés   20
mois après mois, la terre recroquevillée peu à peu, littéralement
torréfiée, chaque pierre éclatant en poussière sous le pied. Les mou-
tons mouraient alors par milliers et quelques hommes, çà et là,
sans qu'on puisse toujours le savoir.

Devant cette misère, lui qui vivait presque en moine dans cette   25
école perdue, content d'ailleurs du peu qu'il avait, et de cette vie
rude, s'était senti un seigneur, avec ses murs crépis, son divan
étroit, ses étagères de bois blanc, son puits, et son ravitaillement
hebdomadaire en eau et en nourriture. Et, tout d'un coup, cette
neige, sans avertissement, sans la détente de la pluie. Le pays   30
était ainsi, cruel à vivre, même sans les hommes, qui, pourtant,

---

[1] *de quoi* the wherewithal, what he needed. Daru's "exile" has brought
him self-sufficiency, an ability to live with his world.

[2] *faire la soudure avec* (literally) make the joint with; (here) carry
them over until

n'arrangeaient rien.[1] Mais Daru y était né. Partout ailleurs, il se
sentait exilé.[2]

Il sortit et avança sur le terre-plein devant l'école. Les deux
hommes étaient maintenant à mi-pente.[3] Il reconnut dans le cavalier,
5 Balducci, le vieux gendarme qu'il connaissait depuis longtemps.
Balducci tenait au bout d'une corde un Arabe qui avançait derrière
lui, les mains liées, le front baissé. Le gendarme fit un geste de
salutation auquel Daru ne répondit pas, tout entier occupé à regarder l'Arabe vêtu d'une djellabah autrefois bleue, les pieds dans
10 des sandales, mais couverts de chaussettes en grosse laine grège, la
tête coiffée d'un chèche étroit et court. Ils approchaient. Balducci
maintenait sa bête au pas pour ne pas blesser l'Arabe et le groupe
avançait lentement.

A portée de voix, Balducci cria: «Une heure pour faire les trois
15 kilomètres d'El Ameur ici!» Daru ne répondit pas. Court et carré
dans son chandail épais, il les regardait monter. Pas une seule fois,
l'Arabe n'avait levé la tête. «Salut, dit Daru, quand ils débouchèrent
sur le terre-plein. Entrez vous réchauffer.» Balducci descendit
péniblement de sa bête, sans lâcher la corde. Il sourit à l'instituteur
20 sous ses moustaches hérissées. Ses petits yeux sombres, très enfoncés
sous le front basané, et sa bouche entourée de rides, lui donnaient
un air attentif et appliqué. Daru prit la bride, conduisit la bête vers
l'appentis, et revint vers les deux hommes qui l'attendaient maintenant dans l'école. Il les fit pénétrer dans sa chambre. «Je vais
25 chauffer la salle de classe, dit-il. Nous y serons plus à l'aise.» Quand
il entra de nouveau dans la chambre, Balducci était sur le divan. Il
avait dénoué la corde qui le liait à l'Arabe et celui-ci s'était accroupi
près du poêle. Les mains toujours liées, le chèche maintenant poussé
en arrière, il regardait vers la fenêtre. Daru ne vit d'abord que ses
30 énormes lèvres, pleines, lisses, presque négroïdes; le nez cependant
était droit, les yeux sombres, pleins de fièvre. Le chèche découvrait

---

[1] *n'arrangeait rien*   (here) didn't help matters
[2] *exilé*   Daru, not unlike the Arabs of "La Femme adultère," has
learned to be at one with this region, needing little to get on with nature.
Contrast Marcel.
[3] *à mi-pente*   half way up the slope

un front buté et, sous la peau recuite [1] mais un peu décolorée par le
froid, tout le visage avait un air à la fois inquiet et rebelle qui frappa
Daru quand l'Arabe, tournant son visage vers lui, le regarda droit
dans les yeux. «Passez à côté,[2] dit l'instituteur, je vais vous faire du
thé à la menthe. — Merci, dit Balducci. Quelle corvée! Vivement la   5
retraite.» Et s'adressant en arabe à son prisonnier: «Viens, toi.»
L'Arabe se leva et, lentement, tenant ses poignets joints devant lui,
passa dans l'école.

Avec le thé, Daru apporta une chaise. Mais Balducci trônait
déjà sur la première table d'élève et l'Arabe s'était accroupi contre   10
l'estrade du maître, face au poêle qui se trouvait entre le bureau et la
fenêtre. Quand il tendit le verre de thé au prisonnier, Daru hésita
devant ses mains liées. «On peut le délier, peut-être. — Sûr, dit
Balducci. C'était pour le voyage.» Il fit mine de se lever. Mais Daru,
posant le verre sur le sol, s'était agenouillé près de l'Arabe. Celui-ci, 15
sans rien dire, le regardait faire de ses yeux fiévreux. Les mains
libres, il frotta l'un contre l'autre ses poignets gonflés, prit le verre
de thé et aspira le liquide brûlant, à petites gorgées rapides.

«Bon, dit Daru. Et comme ça, où allez-vous?»
Balducci retira sa moustache du thé: «Ici, fils.   20
— Drôles d'élèves! Vous couchez ici?
— Non. Je vais retourner à El Ameur. Et toi, tu livreras le
camarade à Tinguit. On l'attend à la commune mixte.[3]
Balducci regardait Daru avec un petit sourire d'amitié.
«Qu'est-ce que tu racontes, dit l'instituteur. Tu te fous de moi?[4]   25
— Non, fils. Ce sont les ordres.
— Les ordres? Je ne suis pas... Daru hésita; il ne voulait pas
peiner le vieux Corse. «Enfin, ce n'est pas mon métier.
— Eh! Qu'est-ce que ça veut dire? A la guerre, on fait tous les
métiers.   30
— Alors, j'attendrai la déclaration de guerre!»

---

[1] *recuite* (literally) baked again; (here) baked, weathered
[2] *Passez à côté* Go into the other room
[3] *la commune mixte* the seat of the mixed Arab-French administration
[4] *Qu'est-ce que... moi?* (Approximately) What's this story? What kind
of fool do you think I am?

Balducci approuva de la tête.

«Bon. Mais les ordres sont là et ils te concernent aussi. Ça bouge,[1] paraît-il. On parle de révolte prochaine. Nous sommes mobilisés, dans un sens.»

5   Daru gardait son air buté.

«Écoute, fils, dit Balducci. Je t'aime bien, il faut comprendre. Nous sommes une douzaine à El Ameur pour patrouiller dans le territoire d'un petit département et je dois rentrer. On m'a dit de te confier ce zèbre[2] et de rentrer sans tarder. On ne pouvait pas le 10 garder là-bas. Son village s'agitait, ils voulaient le reprendre. Tu dois le mener à Tinguit dans la journée de demain. Ce n'est pas une vingtaine de kilomètres qui font peur à un costaud comme toi. Après, ce sera fini. Tu retrouveras tes élèves et la bonne vie.»

Derrière le mur, on entendit le cheval s'ébrouer et frapper du 15 sabot. Daru regardait par la fenêtre. Le temps se levait décidément, la lumière s'élargissait sur le plateau neigeux. Quand toute la neige serait fondue, le soleil régnerait de nouveau et brûlerait une fois de plus les champs de pierre. Pendant des jours, encore, le ciel inaltérable déverserait sa lumière sèche sur l'étendue solitaire où 20 rien ne rappelait l'homme.[3]

«Enfin, dit-il en se retournant vers Balducci, qu'est-ce qu'il a fait?» Et il demanda, avant que le gendarme ait ouvert la bouche: «Il parle français?»

— Non, pas un mot. On le recherchait depuis un mois, mais 25 ils le cachaient. Il a tué son cousin.

— Il est contre nous?

---

[1] *Ça bouge.*   Things are moving, brewing.

[2] *zèbre*   (normally) zebra; (here) guy, fellow

[3] *... l'homme*   Again Nature serves here to prepare a psychological point. Drought followed by a blizzard has shown the power of nature, which disregards man. Now the burning sun will return to these stony fields, pouring out its desiccating light over the solitary expanse. In Nature's total disregard, there is nothing human. But Daru has learned to live with his world and to love it. To be a Man, which is Daru's unsolved problem, is to have the proper regard which Man must have for Man. In a moment Daru's thoughts on the murder the Arab has committed will allow Camus to phrase the idea directly.

— Je ne crois pas. Mais on ne peut jamais savoir.

— Pourquoi a-t-il tué?

— Des affaires de famille, je crois. L'un devait du grain à l'autre, paraît-il. Ça n'est pas clair. Enfin, bref, il a tué le cousin d'un coup de serpe. Tu sais, comme au mouton, zic!...» 5

Balducci fit le geste de passer une lame sur sa gorge et l'Arabe, son attention attirée, le regardait avec une sorte d'inquiétude. Une colère subite vint à Daru contre cet homme, contre tous les hommes et leur sale méchanceté, leurs haines inlassables, leur folie[1] du sang.

Mais la bouilloire chantait sur le poêle. Il resservit du thé à 10 Balducci, hésita, puis servit à nouveau l'Arabe qui, une seconde fois, but avec avidité. Ses bras soulevés entrebâillaient maintenant la djellabah et l'instituteur aperçut sa poitrine maigre et musclée.

«Merci, petit, dit Balducci. Et maintenant, je file.»

Il se leva et se dirigea vers l'Arabe, en tirant une cordelette de 15 sa poche.

«Qu'est-ce que tu fais?» demanda sèchement Daru.

Balducci, interdit, lui montra la corde.

«Ce n'est pas la peine.»

Le vieux gendarme hésita: 20

«Comme tu voudras. Naturellement, tu es armé?

— J'ai mon fusil de chasse.

— Où?

— Dans la malle.

— Tu devrais l'avoir près de ton lit. 25

— Pourquoi? Je n'ai rien à craindre.

— Tu es sonné, fils. S'ils se soulèvent, personne n'est à l'abri, nous sommes tous dans le même sac.[2]

— Je me défendrai. J'ai le temps de les voir arriver.»

Balducci se mit à rire, puis la moustache vint soudain recouvrir 30 les dents encore blanches.

«Tu as le temps? Bon. C'est ce que je disais. Tu as toujours été un peu fêlé. C'est pour ça que je t'aime bien, mon fils était comme ça.»

[1] *folie* (here, as often) madness
[2] *sac* The corresponding image in English would be "boat."

Il tirait en même temps son revolver et le posait sur le bureau.
«Garde-le, je n'ai pas besoin de deux armes d'ici El Ameur.»[1]
Le revolver brillait sur la peinture noire de la table. Quand le
gendarme se retourna vers lui, l'instituteur sentit son odeur de cuir
5 et de cheval.
«Écoute, Balducci, dit Daru soudainement, tout ça me dégoûte,
et ton gars le premier. Mais je ne le livrerai pas. Me battre, oui, s'il le
faut. Mais pas ça.»˙
Le vieux gendarme se tenait devant lui et le regardait avec
10 sévérité.
«Tu fais des bêtises, dit-il lentement. Moi non plus, je n'aime
pas ça. Mettre une corde à un homme, malgré les années, on ne s'y
habitue pas et même, oui, on a honte. Mais on ne peut pas les laisser
faire.
15 — Je ne le livrerai pas, répéta Daru.
— C'est un ordre, fils. Je te le répète.
— C'est ça.[2] Répète-leur ce que je t'ai dit: je ne le livrerai pas.»
Balducci faisait un visible effort de réflexion. Il regardait
l'Arabe et Daru. Il se décida enfin.
20   «Non. Je ne leur dirai rien. Si tu veux nous lâcher, à ton aise,[3]
je ne te dénoncerai pas. J'ai l'ordre de livrer le prisonnier: je le fais.
Tu vas maintenant me signer le papier.
— C'est inutile. Je ne nierai pas que tu me l'as laissé.
— Ne sois pas méchant avec moi. Je sais que tu diras la vérité.
25 Tu es d'ici, tu es un homme. Mais tu dois signer, c'est la règle.»
Daru ouvrit son tiroir, tira une petite bouteille carrée d'encre
violette,[4] le porte-plume de bois rouge avec la plume *sergent-major*[5]
qui lui servait à tracer[6] les modèles d'écriture et il signa. Le gen-

---

[1] *d'ici El Ameur = d'ici à El Ameur*
[2] *C'est ça.* That's right.
[3] *à ton aise* go ahead
[4] *violette* purple, the standard color for much French ink, especially in
schools and other government institutions
[5] *plume sergent-major* type of nib for writing in the style of the older
penmanship books
[6] *tracer* (here) to draw, write

darme plia soigneusement le papier et le mit dans son portefeuille.
Puis il se dirigea vers la porte.

«Je vais t'accompagner, dit Daru.

— Non, dit Balducci. Ce n'est pas la peine d'être poli. Tu
m'as fait un affront.» 5

Il regarda l'Arabe, immobile, à la même place, renifla d'un air
chagrin et se détourna vers la porte: «Adieu, fils», dit-il. La porte
battit derrière lui. Balducci surgit devant la fenêtre puis disparut.
Ses pas étaient étouffés par la neige. Le cheval s'agita derrière la
cloison, des poules s'effarèrent. Un moment après, Balducci repassa 10
devant la fenêtre tirant le cheval par la bride. Il avançait vers le
raidillon sans se retourner, disparut le premier et le cheval le suivit.
On entendit une grosse pierre rouler mollement. Daru revint vers
le prisonnier qui n'avait pas bougé, mais ne le quittait pas des yeux.
«Attends», dit l'instituteur en arabe, et il se dirigea vers la chambre. 15
Au moment de passer le seuil, il se ravisa, alla au bureau, prit le
revolver et le fourra dans sa poche. Puis, sans se retourner, il entra
dans sa chambre.

Longtemps, il resta étendu sur son divan à regarder le ciel se
fermer peu à peu, à écouter le silence. C'était ce silence qui lui 20
avait paru pénible les premiers jours de son arrivée, après la guerre.
Il avait demandé un poste dans la petite ville au pied des contreforts
qui séparent du désert les hauts plateaux. Là, des murailles rocheuses,
vertes et noires au nord, roses ou mauves au sud, marquaient la
frontière de l'éternel été. On l'avait nommé à un poste plus au nord, 25
sur le plateau même. Au début, la solitude et le silence lui avaient
été durs sur ces terres ingrates, habitées seulement par des pierres.
Parfois, des sillons faisaient croire à des cultures,[1] mais ils avaient
été creusés pour mettre au jour une certaine pierre, propice à la
construction. On ne labourait[2] ici que pour récolter des cailloux. 30
D'autres fois, on grattait quelques copeaux de terre, accumulée
dans des creux, dont on engraisserait les maigres jardins des villages.
C'était ainsi, le caillou seul couvrait les trois quarts de ce pays. Les
villes y naissaient, brillaient, puis disparaissaient; les hommes y

[1] *cultures* cultivation
[2] *labourait* plowed

passaient, s'aimaient ou se mordaient à la gorge, puis mouraient. Dans ce désert, personne, ni lui ni son hôte n'étaient rien. Et pourtant, hors de ce désert, ni l'un ni l'autre, Daru le savait, n'auraient pu vivre vraiment.

5   Quand il se leva, aucun bruit ne venait de la salle de classe. Il s'étonna de cette joie franche qui lui venait à la seule pensée que l'Arabe avait pu fuir et qu'il allait se retrouver seul sans avoir rien à décider. Mais le prisonnier était là. Il s'était seulement couché de tout son long entre le poêle et le bureau. Les yeux ouverts, il regar-
10 dait le plafond. Dans cette position, on voyait surtout ses lèvres épaisses qui lui donnaient un air boudeur. «Viens», dit Daru. L'Arabe se leva et le suivit. Dans la chambre, l'instituteur lui montra une chaise près de la table, sous la fenêtre. L'Arabe prit place sans cesser de regarder Daru.
15   «Tu as faim?

    — Oui», dit le prisonnier.

    Daru installa deux couverts. Il prit de la farine et de l'huile, pétrit dans un plat une galette et alluma le petit fourneau à butagaz. Pendant que la galette cuisait, il sortit pour ramener de l'appentis
20 du fromage, des œufs, des dattes et du lait condensé. Quand la galette fut cuite, il la mit à refroidir sur le rebord de la fenêtre, fit chauffer du lait condensé étendu [1] d'eau et, pour finir, battit les œufs en omelette. Dans un de ses mouvements, il heurta le revolver enfoncé dans sa poche droite. Il posa le bol, passa dans la salle de
25 classe et mit le revolver dans le tiroir de son bureau. Quand il revint dans la chambre, la nuit tombait. Il donna de la lumière et servit l'Arabe: «Mange», dit-il. L'autre prit un morceau de galette, le porta vivement à sa bouche et s'arrêta.

    «Et toi? dit-il.
30   — Après toi. Je mangerai aussi.»

    Les grosses lèvres s'ouvrirent un peu, l'Arabe hésita, puis il mordit résolument dans la galette.

    Le repas fini, l'Arabe regardait l'instituteur.

    «C'est toi le juge?
35   — Non, je te garde jusqu'à demain.

---

[1] *étendu* (here) stretched, in the sense of diluted

— Pourquoi tu manges avec moi ?

— J'ai faim.»

L'autre se tut. Daru se leva et sortit. Il ramena un lit de camp
de l'appentis, l'étendit entre la table et le poêle, perpendiculairement
à son propre lit. D'une grande valise qui, debout dans un coin,   5
servait d'étagère à dossiers, il tira deux couvertures qu'il disposa sur
le lit de camp. Puis il s'arrêta, se sentit oisif, s'assit sur son lit. Il
n'y avait plus rien à faire ni à préparer. Il fallait regarder cet homme.
Il le regardait donc, essayant d'imaginer ce visage emporté de
fureur. Il n'y parvenait pas. Il voyait seulement le regard à la fois 10
sombre et brillant, et la bouche animale.

«Pourquoi tu l'as tué ?» dit-il d'une voix dont l'hostilité le
surprit.

L'Arabe détourna son regard.

«Il s'est sauvé.[1] J'ai couru derrière lui.»   15

Il releva les yeux sur Daru et ils étaient pleins d'une sorte
d'interrogation malheureuse.

«Maintenant, qu'est-ce qu'on va me faire ?

— Tu as peur ?»

L'autre se raidit, en détournant les yeux.   20

«Tu regrettes ?»

L'Arabe le regarda, bouche ouverte. Visiblement, il ne comprenait pas. L'irritation gagnait Daru. En même temps, il se sentait
gauche et emprunté[2] dans son gros corps, coincé entre les deux lits.

«Couche-toi là, dit-il avec impatience. C'est ton lit.»   25

L'Arabe ne bougeait pas. Il appela Daru :

«Dis !»

L'instituteur le regarda.

«Le gendarme revient demain ?

— Je ne sais pas.   30

— Tu viens avec nous ?

— Je ne sais pas. Pourquoi ?»

Le prisonnier se leva et s'étendit à même les couvertures, les

---

[1] s'est sauvé   ran away
[2] emprunté   (literally) borrowed; (here) ill-at-ease

pieds vers la fenêtre. La lumière de l'ampoule électrique lui tombait
droit dans les yeux qu'il ferma aussitôt.

«Pourquoi?» répéta Daru, planté devant le lit.

L'Arabe ouvrit les yeux sous la lumière aveuglante et le regarda
5   en s'efforçant de ne pas battre les paupières.

«Viens avec nous», dit-il.[1]

Au milieu de la nuit, Daru ne dormait toujours pas. Il s'était
mis au lit après s'être complètement déshabillé: il couchait nu
habituellement. Mais quand il se trouva sans vêtements dans la
10 chambre, il hésita. Il se sentait vulnérable, la tentation lui vint de
se rhabiller. Puis il haussa les épaules; il en avait vu d'autres[2] et,
s'il le fallait, il casserait en deux son adversaire. De son lit, il pouvait
l'observer, étendu sur le dos, toujours immobile et les yeux fermés
sous la lumière violente. Quand Daru éteignit, les ténèbres semblè-
15 rent se congeler d'un coup. Peu à peu, la nuit redevint vivante dans
la fenêtre où le ciel sans étoiles remuait doucement. L'instituteur
distingua bientôt le corps étendu devant lui. L'Arabe ne bougeait
toujours pas, mais ses yeux semblaient ouverts. Un léger vent rôdait
autour de l'école. Il chasserait peut-être les nuages et le soleil
20 reviendrait.

Dans la nuit, le vent grandit. Les poules s'agitèrent un peu,
puis se turent. L'Arabe se retourna sur le côté, présentant le dos à
Daru et celui-ci crut l'entendre gémir. Il guetta ensuite sa respiration, devenue plus forte et plus régulière. Il écoutait ce souffle si
25 proche et rêvait sans pouvoir s'endormir. Dans la chambre où,
depuis un an, il dormait seul, cette présence le gênait. Mais elle le
gênait aussi parce qu'elle lui imposait une sorte de fraternité qu'il
refusait[3] dans les circonstances présentes et qu'il connaissait bien:
les hommes, qui partagent les mêmes chambres, soldats ou prison-
30 niers, contractent un lien étrange comme si, leurs armures quittées

[1] *dit-il* It is the Arab speaking and appealing directly to Daru's
humanity. This will provide the Frenchman's dilemma in the morning.

[2] *il en avait vu d'autres* he had been through a lot

[3] *refusait* Note that to this extent at least Daru will reject the bond of
a common humanity which could have linked him more fully with the
prisoner.

avec les vêtements, ils se rejoignaient chaque soir, par-dessus leurs différences, dans la vieille communauté du songe et de la fatigue. Mais Daru se secouait, il n'aimait pas ces bêtises, il fallait dormir.

Un peu plus tard pourtant, quand l'Arabe bougea imperceptiblement, l'instituteur ne dormait toujours pas. Au deuxième 5 mouvement du prisonnier, il se raidit, en alerte. L'Arabe se soulevait lentement sur les bras, d'un mouvement presque somnambulique. Assis sur le lit, il attendit, immobile, sans tourner la tête vers Daru, comme s'il écoutait de toute son attention. Daru ne bougea pas: il venait de penser que le revolver était resté dans le tiroir de son bureau. 10 Il valait mieux agir tout de suite. Il continua cependant d'observer le prisonnier qui, du même mouvement huilé, posait ses pieds sur le sol, attendait encore, puis commençait à se dresser lentement. Daru allait l'interpeller quand l'Arabe se mit en marche, d'une allure naturelle cette fois, mais extraordinairement silencieuse. Il allait 15 vers la porte du fond qui donnait sur l'appentis. Il fit jouer[1] le loquet avec précaution et sortit en repoussant la porte derrière lui, sans la refermer. Daru n'avait pas bougé: «Il fuit, pensait-il seulement. Bon débarras!» Il tendit pourtant l'oreille. Les poules ne bougeaient pas: l'autre était donc sur le plateau. Un faible bruit 20 d'eau lui parvint alors dont il ne comprit ce qu'il était qu'au moment où l'Arabe s'encastra de nouveau dans la porte, la referma avec soin, et vint se recoucher sans un bruit. Alors Daru lui tourna le dos et s'endormit. Plus tard encore, il lui sembla entendre, du fond de son sommeil, des pas furtifs autour de l'école. «Je rêve, je rêve!» se 25 répétait-il. Et il dormait.

Quand il se réveilla, le ciel était découvert; par la fenêtre mal jointe entrait un air froid et pur. L'Arabe dormait, recroquevillé maintenant sous les couvertures, la bouche ouverte, totalement abandonné. Mais quand Daru le secoua, il eut un sursaut terrible, 30 regardant Daru sans le reconnaître avec des yeux fous et une expression si apeurée que l'instituteur fit un pas en arrière. «N'aie pas peur. C'est moi. Il faut manger.» L'Arabe secoua la tête et dit oui. Le calme était revenu sur son visage, mais son expression restait absente et distraite. 35

[1] *fit jouer*   (here) lifted

Le café était prêt. Ils le burent, assis tous deux sur le lit de camp, en mordant leurs morceaux de galette. Puis Daru mena l'Arabe sous l'appentis et lui montra le robinet où il faisait sa toilette. Il rentra dans la chambre, plia les couvertures et le lit de camp, fit
5 son propre lit et mit la pièce en ordre. Il sortit alors sur le terre-plein en passant par l'école. Le soleil montait déjà dans le ciel bleu; une lumière tendre et vive inondait le plateau désert. Sur le raidillon, la neige fondait par endroits. Les pierres allaient apparaître de nouveau. Accroupi au bord du plateau, l'instituteur contemplait
10 l'étendue déserte. Il pensait à Balducci. Il lui avait fait de la peine, il l'avait renvoyé, d'une certaine manière, comme s'il ne voulait pas être dans le même sac. Il entendait encore l'adieu du gendarme et, sans savoir pourquoi, il se sentait étrangement vide et vulnérable. A ce moment, de l'autre côté de l'école, le prisonnier toussa. Daru
15 l'écouta, presque malgré lui, puis, furieux, jeta un caillou qui siffla dans l'air avant de s'enfoncer dans la neige. Le crime imbécile de cet homme le révoltait,[1] mais le livrer était contraire à l'honneur: d'y penser seulement le rendait fou d'humiliation. Et il maudissait à la fois les siens qui lui envoyaient cet Arabe et celui-ci qui
20 avait osé tuer et n'avait pas su s'enfuir. Daru se leva, tourna en rond sur le terre-plein, attendit, immobile, puis entra dans l'école.

L'Arabe, penché sur le sol cimenté de l'appentis, se lavait les dents avec deux doigts. Daru le regarda, puis: «Viens», dit-il. Il rentra dans la chambre, devant le prisonnier. Il enfila une veste de
25 chasse sur son chandail et chaussa des souliers de marche. Il attendit debout que[2] l'Arabe eût remis son chèche et ses sandales. Ils passèrent dans l'école et l'instituteur montra la sortie à son compagnon. «Va», dit-il. L'autre ne bougea pas. «Je viens», dit Daru. L'Arabe sortit. Daru rentra dans la chambre et fit un paquet avec
30 des biscottes, des dattes et du sucre. Dans la salle de classe, avant de sortir, il hésita une seconde devant son bureau, puis il franchit le seuil de l'école et boucla la porte. «C'est par là», dit-il. Il prit la

---

[1] *révoltait* Daru realizes that he has estranged himself from Balducci; and he is now estranged totally from the Arab. In a hostile universe and society, Camus will suggest, this is risky behavior.
[2] *attendit... que* waited . . . until

direction de l'est, suivi par le prisonnier. Mais, à une faible distance
de l'école, il lui sembla entendre un léger bruit derrière lui. Il
revint sur ses pas, inspecta les alentours de la maison: il n'y avait
personne. L'Arabe le regardait faire, sans paraître comprendre.
«Allons», dit Daru.   5
   Ils marchèrent une heure et se reposèrent auprès d'une sorte
d'aiguille calcaire. La neige fondait de plus en plus vite, le soleil
pompait aussitôt les flaques, nettoyait à toute allure le plateau qui,
peu à peu, devenait sec et vibrait comme l'air lui-même. Quand ils
reprirent la route, le sol résonnait sous leurs pas. De loin en loin, un   10
oiseau fendait l'espace devant eux avec un cri joyeux. Daru buvait, à
profondes aspirations, la lumière fraîche. Une sorte d'exaltation
naissait en lui devant le grand espace familier, presque entièrement jaune maintenant, sous sa calotte de ciel bleu. Ils marchèrent
encore une heure, en descendant vers le sud. Ils arrivèrent à une   15
sorte d'éminence aplatie, faite de rochers friables. A partir de là, le
plateau dévalait, à l'est, vers une plaine basse où l'on pouvait distinguer quelques arbres maigres et, au sud, vers des amas rocheux
qui donnaient au paysage un aspect tourmenté.
   Daru inspecta les deux directions. Il n'y avait que le ciel à   20
l'horizon, pas un homme ne se montrait. Il se tourna vers l'Arabe,
qui le regardait sans comprendre. Daru lui tendit un paquet: «Prends,
dit-il. Ce sont des dattes, du pain, du sucre. Tu peux tenir deux jours.
Voilà mille francs aussi.» L'Arabe prit le paquet et l'argent, mais
il gardait ses mains pleines à hauteur de la poitrine, comme s'il ne   25
savait que faire de ce qu'on lui donnait. «Regarde maintenant, dit
l'instituteur, et il lui montrait la direction de l'est, voilà la route de
Tinguit. Tu as deux heures de marche. A Tinguit, il y a l'administra-
tration et la police. Ils t'attendent.» L'Arabe regardait vers l'est,
retenant toujours contre lui le paquet et l'argent. Daru lui prit le   30
bras et lui fit faire, sans douceur, un quart de tour vers le sud. Au
pied de la hauteur où ils se trouvaient, on devinait un chemin à peine
dessiné. «Ça, c'est la piste qui traverse le plateau. A un jour de
marche d'ici, tu trouveras les pâturages et les premiers nomades. Ils
t'accueilleront et t'abriteront, selon leur loi.» L'Arabe s'était re-   35
tourné maintenant vers Daru et une sorte de panique se levait sur son

visage: «Écoute», dit-il. Daru secoua la tête: «Non, tais-toi. Maintenant, je te laisse.» Il lui tourna le dos, fit deux grands pas dans la
direction de l'école, regarda d'un air indécis l'Arabe immobile et
repartit. Pendant quelques minutes, il n'entendit plus que son
5   propre pas, sonore sur la terre froide, et il ne détourna pas la tête.
Au bout d'un moment, pourtant, il se retourna. L'Arabe était
toujours là, au bord de la colline, les bras pendants maintenant, et il
regardait l'instituteur. Daru sentit sa gorge se nouer. Mais il jura
d'impatience, fit un grand signe, et repartit. Il était déjà loin quand
10 il s'arrêta de nouveau et regarda. Il n'y avait plus personne sur la
colline.

Daru hésita. Le soleil était maintenant assez haut dans le ciel et
commençait de lui dévorer le front. L'instituteur revint sur ses pas,
d'abord un peu incertain, puis avec décision. Quand il parvint à la
15 petite colline, il ruisselait de sueur. Il la gravit à toute allure et s'arrêta, essoufflé, sur le sommet. Les champs de roche, au sud, se
dessinaient nettement sur le ciel bleu, mais sur la plaine, à l'est, une
buée de chaleur montait déjà. Et dans cette brume légère, Daru, le
cœur serré, découvrit l'Arabe qui cheminait lentement sur la route
20 de la prison.

Un peu plus tard, planté devant la fenêtre de la salle de classe,
l'instituteur regardait sans la voir la jeune lumière bondir des hau-
teurs du ciel sur toute la surface du plateau. Derrière lui, sur le
tableau noir, entre les méandres des fleuves français s'étalait, tracée
25 à la craie par une main malhabile, l'inscription qu'il venait de lire:
«Tu as livré notre frère. Tu paieras.» Daru regardait le ciel, le
plateau et, au-delà, les terres invisibles qui s'étendaient jusqu'à la
mer. Dans ce vaste pays qu'il avait tant aimé, il était seul.

questions et sujets à développer

1. Comment savez-vous que les deux hommes observés par Daru ont de la peine? (p. 52)

2. En quelle mesure les personnages de Camus sont-ils psychologiquement influencés par le temps? (p. 52)

3. Comparez l'impression que produit sur le lecteur la scène d'intérieur (p. 53) avec celle de l'extérieur. Indiquez le rapport de cette comparaison avec la même comparaison dans "La Femme adultère."

4. Opposez Marcel à Daru. (pp. 53–54)

5. Indiquez les réactions successives de Daru en présence du prisonnier. (pp. 54 à la fin)

6. Faites le contraste entre les réactions de Balducci et de Daru envers le danger des Arabes. (pp. 55–56)

7. Quelles sont les suggestions symboliques dans la description du plateau? (p. 56)

8. Commentez l'explication que donne l'Arabe de son meurtre. (p. 61)

9. Comment Camus rend-il la nature vivante et vaguement hostile? (p. 62)

10. Pourquoi l'Arabe ne s'est-il pas évadé pendant la nuit?

11. Pourquoi Daru hésite-t-il devant son bureau? Quelle décision prend-il? Pourquoi? (p. 64)

12. Pourquoi Daru fait-il faire *sans douceur* un quart de tour à l'Arabe? (p. 65)

13. Pourquoi l'Arabe a-t-il pris la route de la prison? (p. 66)

14. Comment se fait-il que Daru, à la fin, se trouve ainsi tout seul? A qui la faute?

15. Quel était, selon vous, le devoir de Daru?

16. Quel a été le destin politique de l'Algérie depuis l'époque de cette histoire?

⌘ jonas *ou* l'artiste au travail

*In the King James Version of the Bible, the verse reads: "Take me up,
and cast me forth into the sea; so shall the sea be calm unto you: for
I know that for my sake this great tempest is upon you."*

introduction

Jonas—"Jonah" is perhaps the more common rendering of the name in English—was, in the Bible, a man of God whom the Lord punished during a sea voyage by raising up a mighty storm. When it was miraculously indicated to his fellow passengers that it was Jonas who was the cause of their danger, they regretfully threw him into the sea, at his own request. There, it will be recalled, he was swallowed up by a whale, from which he escaped only after three days of incarceration.

"Jonas" is the only violently satiric tale in this book. Throughout it Camus uses irony, either the light-hearted implication that things are not as they should be, or the biting assertion that life in Paris is terribly wrong. It is the only story in this collection which is perhaps too long.

The tale satirizes the difficulties which Camus faced in Paris from the end of the War to his death; he tells of them through the experiences of Jonas, a gifted painter. Camus was too imbued with a sense for the necessary integrity of man even to wish to be at home in the sophisticated world of Paris, which he once termed a society dedicated to envy and derision. And so, around a string of incidents which happen to Jonas, Camus satirizes Parisian publishing houses, art lovers, all wives, the French housing crisis, and a number of other aspects of contemporary urban living which had irritated him. Much of the story is mordantly amusing.

Above all, Camus is deploring the plight of the artist-creator in modern life. He emphasizes that Jonas had that simplicity which is essential to the artist. Even more than ordinary men, Jonas, the artist, must make that withdrawal, that Exile, in which man may hope to find himself and so return renewed into the life of man, to tell what he has learned. But the contemporary urban world will have none of this: it lionizes the artist and crowds in upon him with ever-renewed demands. If the artist rightly understands that he may not isolate himself wilfully from his fellows, he then responds, giving of his soul until there is nothing left in that inner sanctuary from which his art should have flowed. Jonas, the man of God and the creator, is swallowed up.

Jonas is another in the series of Christ-figures from Camus' works. In the New Testament Jesus himself refers to Jonas as a precursor, for like Jonas He will be swallowed up for three days (after His crucifixion) and will thereafter rise again. But as always Camus is working outside of a metaphysical framework, however frequently he parallels it. Jonas' mission, though Christ-like, is to man on this earth and has no reference to an afterlife of heaven or hell. The Kingdom of Man is on earth for Camus.

⛵ jonas

Gilbert Jonas, artiste peintre, croyait en son étoile. Il ne croyait d'ailleurs qu'en elle, bien qu'il se sentît du respect, et même une sorte d'admiration, devant la religion des autres. Sa propre foi, pourtant, n'était pas sans vertus, puisqu'elle consistait à admettre, de façon obscure, qu'il obtiendrait beaucoup sans jamais rien mériter. Aussi, lorsque, aux environs de sa trente-cinquième année, une dizaine de critiques se disputèrent soudain la gloire d'avoir découvert son talent, il n'en montra point de surprise. Mais sa sérénité, attribuée par certains à la suffisance, s'expliquait très bien, au contraire, par une confiante modestie. Jonas rendait justice à son étoile plutôt qu'à ses mérites.

Il se montra un peu plus étonné lorsqu'un marchand de tableaux lui proposa une mensualité qui le délivrait de tout souci. En vain, l'architecte Rateau, qui depuis le lycée aimait Jonas et son étoile, lui représenta-t-il que cette mensualité lui donnerait une vie à peine décente et que le marchand n'y perdrait rien. «Tout de même», disait Jonas. Rateau, qui réussissait, mais à la force du poignet,[1] dans tout ce qu'il entreprenait, gourmandait son ami. «Quoi, tout de même? Il faut discuter.» Rien n'y fit.[2] Jonas en lui-même remerciait son étoile. «Ce sera comme vous voudrez», dit-il au marchand. Et il abandonna les fonctions qu'il occupait dans la maison d'éditions paternelle, pour se consacrer tout entier à la peinture. «Ça, disait-il, c'est une chance!»[3]

Il pensait en réalité: «C'est une chance qui continue.» Aussi loin qu'il pût remonter dans sa mémoire, il trouvait cette chance à l'œuvre. Il nourrissait ainsi une tendre reconnaissance à l'endroit de ses parents, d'abord parce qu'ils l'avaient élevé distraitement, ce qui lui avait fourni le loisir de la rêverie, ensuite parce qu'ils s'étaient séparés, pour raison d'adultère. C'était du moins le prétexte invoqué par

[1] *à la force du poignet*   by dint of hard work
[2] *Rien n'y fit.*   It did no good.
[3] *chance*   luck

son père qui oubliait de préciser qu'il s'agissait d'un adultère assez
particulier : il ne pouvait supporter les bonnes œuvres de sa femme,
véritable sainte laïque, qui, sans y voir malice, avait fait le don de
sa personne à l'humanité souffrante. Mais le mari prétendait[1]
5 disposer en maître des vertus de sa femme. «J'en ai assez, disait
cet Othello, d'être trompé avec les pauvres.»
      Ce malentendu fut profitable à Jonas. Ses parents, ayant lu,
ou appris, qu'on pouvait citer plusieurs cas de meurtriers sadiques
issus de parents divorcés, rivalisèrent de gâteries pour étouffer dans
10 l'œuf les germes d'une aussi fâcheuse évolution. Moins apparents
étaient les effets du choc subi, selon eux, par la conscience[2] de
l'enfant, et plus[3] ils s'en inquiétaient : les ravages invisibles devaient
être les plus profonds. Pour peu que Jonas se déclarât[4] content de
lui ou de sa journée, l'inquiétude ordinaire de ses parents touchait à
15 l'affolement. Leurs attentions redoublaient et l'enfant n'avait alors
plus rien à désirer.
      Son malheur supposé valut[5] enfin à Jonas un frère dévoué en
la personne de son ami Rateau. Les parents de ce dernier invitaient
souvent son petit camarade de lycée parce qu'ils plaignaient son
20 infortune. Leurs discours apitoyés inspirèrent à leur fils, vigoureux
et sportif, le désir de prendre sous sa protection l'enfant dont il
admirait déjà les réussites nonchalantes. L'admiration et la condescendance firent un bon mélange pour une amitié que Jonas
reçut, comme le reste, avec une simplicité encourageante.
25   Quand Jonas eut terminé, sans effort particulier, ses études, il
eut encore la chance d'entrer dans la maison d'éditions de son père
pour y trouver une situation et, par des voies indirectes, sa vocation
de peintre. Premier éditeur de France, la père de Jonas était d'avis
que le livre, plus que jamais, et en raison même de[6] la crise de la
30 culture, était l'avenir. «L'histoire montre, disait-il, que moins on lit

[1] *prétendait* claimed
[2] *conscience* This word, which can mean conscience, here has its other
meaning of consciousness, psyche.
[3] *Moins... et plus* The less . . . the more
[4] *Pour... déclarât* Jonas had only to declare himself
[5] *valut* (here) gained, won
[6] *en raison même de* specifically because of

et plus on achète de livres.» Partant, il ne lisait que rarement les
manuscrits qu'on lui soumettait, ne se décidait à les publier que sur
la personnalité de l'auteur ou l'actualité de son sujet (de ce point de
vue, le seul sujet toujours actuel étant le sexe, l'éditeur avait fini
par se spécialiser) et s'occupait seulement de trouver des présen-　5
tations curieuses et de la publicité gratuite. Jonas reçut donc, en
même temps que le département des lectures,[1] de nombreux
loisirs dont il fallut trouver l'emploi. C'est ainsi qu'il rencontra la
peinture.

Pour la première fois, il se découvrit une ardeur imprévue, mais　10
inlassable, consacra bientôt ses journées à peindre et, toujours sans
effort, excella dans cet exercice. Rien d'autre ne semblait l'intéresser
et c'est à peine s'il put se marier à l'âge convenable: la peinture le
dévorait tout entier. Aux êtres et aux circonstances ordinaires de la
vie, il ne réservait qu'un sourire bienveillant qui le dispensait d'en　15
prendre souci. Il fallut un accident de la motocyclette que Rateau
conduisait trop vigoureusement, son ami en croupe, pour que Jonas,
la main droite enfin immobilisée dans un bandage, et s'ennuyant,
pût s'intéresser à l'amour. Là encore, il fut porté[2] à voir dans ce
grave accident les bons effets de son étoile. Sans lui, il n'eût pas pris　20
le temps de regarder Louise Poulin comme elle le méritait.
Selon Rateau, d'ailleurs, Louise ne méritait pas d'être regardée.
Petit et râblé lui-même, il n'aimait que les grandes femmes. «Je ne
sais pas ce que tu trouves à cette fourmi», disait-il. Louise était en
effet petite, noire de peau, de poils et d'œil, mais bien faite, et de　25
jolie mine. Jonas, grand et solide, s'attendrissait sur la fourmi,
d'autant plus qu'elle était industrieuse. La vocation de Louise était
l'activité. Une telle vocation s'accordait heureusement au goût de
Jonas pour l'inertie, et pour ses avantages. Louise se dévoua d'abord
à la littérature, tant qu'elle crut du moins que l'édition intéressait　30
Jonas. Elle lisait tout, sans ordre, et devint, en peu de semaines,

[1] *lectures* (manuscript) reading.　Recall that Camus was a reader for
Gallimard during the War. Camus, however, is not here making Gallimard
his target; it is one of France's most respected publishing houses and in
point of fact published most of Camus' work, including *L'Exil et le royaume*.
　[2] *porté* (here) inclined

capable de parler de tout. Jonas l'admira et se jugea définitivement
dispensé de lectures puisque Louise le renseignait assez, et lui
permettait de connaître l'essentiel des découvertes contemporaines.
«Il ne faut plus dire, affirmait Louise, qu'un tel est méchant ou laid,
5 mais qu'il se veut[1] méchant ou laid.» La nuance était importante et
risquait de mener au moins, comme le fit remarquer Rateau, à la
condamnation du genre humain. Mais Louise trancha en montrant
que cette vérité étant à la fois soutenue par la presse du cœur[2] et
les revues philosophiques, elle était universelle et ne pouvait être
10 discutée. «Ce sera comme vous voudrez», dit Jonas, qui oublia
aussitôt cette cruelle découverte pour rêver à son étoile.
　　Louise déserta la littérature dès qu'elle comprit que Jonas ne
s'intéressait qu'à la peinture. Elle se dévoua aussitôt aux arts plasti-
ques, courut musées et expositions, y traîna Jonas qui comprenait
15 mal ce que peignaient ses contemporains et s'en trouvait gêné dans
sa simplicité d'artiste. Il se réjouissait cependant d'être si bien
renseigné sur tout ce qui touchait à son art. Il est vrai que le lendemain, il perdait jusqu'au nom du peintre dont il venait de voir
les œuvres. Mais Louise avait raison lorsqu'elle lui rappelait péremp-
20 toirement une des certitudes qu'elle avait gardées de sa période
littéraire, à savoir[3] qu'en réalité on n'oubliait jamais rien. L'étoile
décidément protégeait Jonas qui pouvait ainsi cumuler sans mauvaise
conscience les certitudes de la mémoire et les commodités de l'oubli.
　　Mais les trésors de dévouement que prodiguait Louise étince-
25 laient de leurs plus beaux feux dans la vie quotidienne de Jonas. Ce
bon ange lui évitait les achats de chaussures, de vêtements et de
linge qui abrègent, pour tout homme normal, les jours d'une vie
déjà si courte. Elle prenait à charge, résolument, les mille inventions
de la machine à tuer le temps, depuis les imprimés obscurs de la
30 sécurité sociale jusqu'aux dispositions sans cesse renouvelées de la
fiscalité. «Oui, disait Rateau, c'est entendu. Mais elle ne peut aller
chez le dentiste à ta place.» Elle n'y allait pas, mais elle téléphonait et
prenait les rendez-vous, aux meilleures heures; elle s'occupait des

---

[1] *se veut* wishes to be
[2] *presse du cœur* sentimental publications
[3] *à savoir* namely

vidanges de la 4 CV,[1] des locations,[2] dans les hôtels de vacances,
du charbon domestique; elle achetait elle-même les cadeaux que Jonas
désirait offrir,[3] choisissait et expédiait ses fleurs et trouvait encore
le temps, certains soirs, de passer chez lui, en son absence, pour
préparer le lit qu'il n'aurait pas besoin cette nuit-là d'ouvrir avant   5
de se coucher.

Du même élan, aussi bien, elle entra dans ce lit, puis s'occupa
du rendez-vous avec le maire,[4] y mena Jonas deux ans avant que son
talent fût enfin reconnu et organisa le voyage de noces de manière
que tous les musées fussent visités. Non sans avoir trouvé, aupara-   10
vant, en pleine crise du logement, un appartement de trois pièces
où ils s'installèrent, au retour. Elle fabriqua ensuite, presque coup
sur coup, deux enfants, garçon et fille, selon son plan qui était
d'aller jusqu'à trois et qui fut rempli peu après que Jonas eût quitté
la maison d'éditions pour se consacrer à la peinture.   15

Dès qu'elle eut accouché, d'ailleurs, Louise ne se dévoua plus
qu'à son, puis ses enfants. Elle essayait encore d'aider son mari mais
le temps lui manquait. Sans doute, elle regrettait de négliger Jonas,
mais son caractère décidé l'empêchait de s'attarder à ces regrets.
«Tant pis, disait-elle, chacun son établi.» Expression dont Jonas se   20
déclarait d'ailleurs enchanté, car il désirait, comme tous les artistes
de son époque, passer pour un artisan. L'artisan fut donc un peu
négligé et dut acheter ses souliers lui-même. Cependant, outre que
cela était dans la nature des choses, Jonas fut encore tenté de s'en
féliciter. Sans doute, il devait faire effort pour visiter les magasins,   25
mais cet effort était récompensé par l'une de ces heures de solitude
qui donne tant de prix au bonheur des couples.

Le problème de l'espace vital l'emportait de loin, pourtant, sur
les autres problèmes du ménage, car le temps et l'espace se rétrécis-
saient du même mouvement, autour d'eux. La naissance des enfants,   30
le nouveau métier de Jonas, leur installation étroite, et la modestie
de la mensualité qui interdisait d'acheter un plus grand appartement,

[1] *4 CV* abbreviation for "*Quatre Chevaux,*" a tiny French car
[2] *locations* reservations
[3] *offrir* In French one offers a gift.
[4] *rendez-vous avec le maire* for the civil marriage service

ne laissaient qu'un champ restreint à la double activité de Louise et
de Jonas. L'appartement se trouvait au premier étage d'un ancien
hôtel [1] du XVIIIe siècle, dans le vieux quartier de la capitale. Beaucoup
d'artistes logeaient dans cet arrondissement, fidèles au principe qu'en
5   art la recherche du neuf doit se faire dans un cadre ancien. Jonas,
qui partageait cette conviction, se réjouissait beaucoup de vivre
dans ce quartier.

Pour ancien, en tout cas, son appartement l'était.[2] Mais
quelques arrangements très modernes lui avaient donné un air
10 original qui tenait principalement à ce qu'[3]il offrait à ses hôtes un
grand volume d'air alors qu'il n'occupait qu'une surface réduite.
Les pièces, particulièrement hautes, et ornées de superbes fenêtres,
avaient été certainement destinées, si on en jugeait par leurs majes-
tueuses proportions, à la réception et à l'apparat. Mais les nécessités
15 de l'entassement urbain et de la rente immobilière [4] avaient contraint
les propriétaires successifs à couper par des cloisons ces pièces trop
vastes, et à multiplier par ce moyen les stalles qu'ils louaient au prix
fort à leur troupeau de locataires. Ils n'en faisaient pas moins valoir
ce qu'ils appelaient «l'important[5] cubage d'air». Cet avantage
20 n'était pas niable. Il fallait seulement l'attribuer à l'impossibilité où
s'étaient trouvés les propriétaires de cloisonner aussi les pièces dans
leur hauteur. Sans quoi, ils n'eussent pas hésité à faire les sacrifices
nécessaires pour offrir quelques refuges de plus à la génération
montante, particulièrement marieuse et prolifique à cette époque.
25 Le cubage d'air ne présentait pas, d'ailleurs, que des avantages. Il
offrait l'inconvénient de rendre les pièces difficiles à chauffer en
hiver, ce qui obligeait malheureusement les propriétaires à majorer
l'indemnité de chauffage. En été, à cause de la vaste surface vitrée,
l'appartement était littéralement violé par la lumière: il n'y avait

---

[1] *hôtel* This word, which in a modern context means "hotel," here
means town house.

[2] *Pour... était.* Old his apartment certainly was, in any case.

[3] *tenait...à ce qu'* (here) was . . . due to the fact that

[4] *rente immobilière* income from real estate. France has suffered from
a housing shortage since the First World War.

[5] *important* (here) large, sizable

pas de persiennes. Les propriétaires avaient négligé d'en placer, découragés sans doute par la hauteur des fenêtres et le prix de la menuiserie. D'épais rideaux, après tout, pouvaient jouer le même rôle, et ne posaient aucun problème quant au prix de revient, puisqu'ils étaient à la charge des locataires. Les propriétaires, au demeurant, ne refusaient pas d'aider ces derniers et leur offraient à des prix imbattables des rideaux venus de leurs propres magasins. La philanthropie immobilière était en effet leur violon d'Ingres.[1] Dans l'ordinaire de la vie, ces nouveaux princes vendaient de la percale et du velours.

Jonas s'était extasié sur les avantages de l'appartement et en avait admis sans peine les inconvénients. «Ce sera comme vous voudrez», dit-il au propriétaire pour l'indemnité de chauffage. Quant aux rideaux, il approuvait Louise qui trouvait suffisant de garnir la seule chambre à coucher et de laisser les autres fenêtres nues. «Nous n'avons rien à cacher», disait ce cœur pur. Jonas avait été particulièrement séduit par la plus grande pièce dont le plafond était si haut qu'il ne pouvait être question d'y installer un système d'éclairage. On entrait de plain-pied dans cette pièce qu'un étroit couloir reliait aux deux autres, beaucoup plus petites, et placées en enfilade. Au bout de l'appartement, la cuisine voisinait avec les commodités et un réduit décoré du nom de salle de douches. Il pouvait en effet passer pour tel à la condition d'y installer un appareil, de le placer dans le sens vertical, et de consentir à recevoir le jet bienfaisant dans une immobilité absolue.

La hauteur vraiment extraordinaire des plafonds, et l'exiguïté des pièces, faisaient de cet appartement un étrange assemblage de parallélépipèdes presque entièrement vitrés, tout en portes et en fenêtres, où les meubles ne pouvaient trouver d'appui[2] et où les êtres, perdus dans la lumière blanche et violente, semblaient flotter

5

10

15

20

25

30

---

[1] *violon d'Ingres* a stock phrase in French to refer to a hobby or avocation. The great French painter Ingres (1780–1867) was an ardent violinist in his spare time.

[2] *appui* support; (here) wall space. As in the previous stories, the physical surroundings suggest the spiritual state; but here they are all man made, and hence Man alone is responsible.

comme des ludions [1] dans un aquarium vertical. De plus, toutes les fenêtres donnaient sur la cour, c'est-à-dire, à peu de distance, sur d'autres fenêtres du même style derrière lesquelles on apercevait presque aussitôt le haut dessin de nouvelles fenêtres donnant sur une
5 deuxième cour. « C'est le cabinet des glaces », [2] disait Jonas ravi. Sur le conseil de Rateau, on avait décidé de placer la chambre conjugale dans l'une des petites pièces, l'autre devant abriter l'enfant qui s'annonçait déjà. La grande pièce servait d'atelier à Jonas pendant la journée, de pièce commune le soir et à l'heure des repas. On pouvait
10 d'ailleurs, à la rigueur, manger dans la cuisine, pourvu que Jonas, ou Louise, voulût bien se tenir debout. Rateau, de son côté, avait multiplié les installations ingénieuses. A force de portes roulantes, de tablettes escamotables et de tables pliantes, il était parvenu à compenser la rareté des meubles, en accentuant l'air de boîte à
15 surprises de cet original appartement.

Mais quand les pièces furent pleines de tableaux et d'enfants, il fallut songer sans tarder à une nouvelle installation. Avant la naissance du troisième enfant, en effet, Jonas travaillait dans la grande pièce, Louise tricotait dans la chambre conjugale, tandis que les deux petits
20 occupaient la dernière chambre, y menaient grand train, et roulaient aussi, comme ils le pouvaient, dans tout l'appartement. [3] On décida alors d'installer le nouveau-né dans un coin de l'atelier que Jonas isola en superposant ses toiles à la manière d'un paravent, ce qui offrait l'avantage d'avoir l'enfant à la portée de l'oreille et de pouvoir
25 ainsi répondre à ses appels. Jonas d'ailleurs n'avait jamais besoin de se déranger, Louise le prévenait. Elle n'attendait pas que l'enfant criât pour entrer dans l'atelier, quoique avec mille précautions, et toujours sur la pointe des pieds. Jonas, attendri par cette discrétion, assura un jour Louise qu'il n'était pas si sensible [4] et qu'il pouvait
30 très bien travailler sur le bruit de ses pas. Louise répondit qu'il

---

[1] *ludions* ludions (small figurines in a glass jar, which can be made to rise or fall by varying pressure on a flexible membrane covering the top of the sphere)

[2] *cabinet des glaces* hall of mirrors, as in an amusement park

[3] *roulaient... appartement* knocked around at will, too, in the whole apartment

[4] *sensible* sensitive

s'agissait aussi de ne pas réveiller l'enfant. Jonas, plein d'admiration
pour le cœur maternel qu'elle découvrait ainsi, rit de bon cœur de
sa méprise. Du coup, il n'osa pas avouer que les interventions pru-
dentes de Louise étaient plus gênantes qu'une franche irruption.
D'abord parce qu'elles duraient plus longtemps, ensuite parce   5
qu'elles s'exécutaient selon une mimique où Louise, les bras largement écartés, le torse un peu renversé en arrière, et la jambe lancée
très haut devant elle, ne pouvait passer inaperçue. Cette méthode
allait même contre ses intentions avouées, puisque Louise risquait à
tout moment d'accrocher quelqu'une des toiles dont l'atelier était   10
encombré. Le bruit réveillait alors l'enfant qui manifestait son
mécontentement selon ses moyens, du reste assez puissants. Le
père, enchanté des capacités pulmonaires de son fils, courait le
dorloter, bientôt relayé pas sa femme. Jonas relevait alors ses toiles,
puis, pinceaux en mains, écoutait, charmé, la voix insistante et   15
souveraine de son fils.
      Ce fut le moment aussi où le succès de Jonas lui valut beaucoup
d'amis. Ces amis se manifestaient au téléphone, ou à l'occasion de
visites impromptu. Le téléphone qui, tout bien pesé,[1] avait été
placé dans l'atelier, résonnait souvent, toujours au préjudice du   20
sommeil de l'enfant qui mêlait ses cris à la sonnerie impérative de
l'appareil. Si, d'aventure, Louise était en train de soigner les autres
enfants, elle s'efforçait d'accourir avec eux, mais, la plupart du temps,
elle trouvait Jonas tenant l'enfant d'une main et, de l'autre, les
pinceaux avec le récepteur du téléphone qui lui transmettait une   25
invitation affectueuse à déjeuner. Jonas s'émerveillait qu'on voulût
bien déjeuner avec lui, dont la conversation était banale, mais préférait les sorties du soir afin de garder intacte sa journée de travail.
La plupart du temps, malheureusement, l'ami n'avait que le
déjeuner, et ce déjeuner-ci, de libre; il tenait absolument à le réserver 30
au cher Jonas. Le cher Jonas acceptait: «Comme vous voudrez!»,
raccrochait: «Est-il gentil celui-là!»,[2] et rendait l'enfant à Louise.
Puis il reprenait son travail, bientôt interrompu par le déjeuner ou
le dîner. Il fallait écarter les toiles, déplier la table perfectionnée,

---

[1] *tout bien pesé*   after due deliberation
[2] *Est-il gentil celui-là!*   How nice he is!

et s'installer avec les petits. Pendant le repas, Jonas gardait un
œil sur le tableau en train,[1] et il lui arrivait, au début du moins, de
trouver ses enfants un peu lents à mastiquer et à déglutir, ce qui
donnait à chaque repas une longueur excessive. Mais il lut dans son
5 journal qu'il fallait manger avec lenteur pour bien assimiler, et
trouva dès lors dans chaque repas des raisons de se réjouir longuement.

D'autres fois, ses nouveaux amis lui faisaient visite. Rateau,
lui, ne venait qu'après dîner. Il était à son bureau dans la journée,
10 et puis, il savait que les peintres travaillent à la lumière du jour.
Mais les nouveaux amis de Jonas appartenaient presque tous à
l'espèce artiste ou critique. Les uns avaient peint, d'autres allaient
peindre, et les derniers enfin s'occupaient de ce qui avait été peint
ou le serait. Tous, certainement, plaçaient très haut les travaux de
15 l'art, et se plaignaient de l'organisation du monde moderne qui rend
si difficile la poursuite des dits travaux et l'exercice, indispensable à
l'artiste, de la méditation. Ils s'en plaignaient des après-midis
durant,[2] suppliant Jonas de continuer à travailler, de faire comme
s'ils n'étaient pas là, et d'en user librement avec eux qui n'étaient
20 pas bourgeois et savaient ce que valait le temps d'un artiste. Jonas,
content d'avoir des amis capables d'admettre qu'on pût travailler
en leur présence, retournait à son tableau sans cesser de répondre
aux questions qu'on lui posait, ou de rire aux anecdotes qu'on lui
contait.

25 Tant de naturel mettait ses amis de plus en plus à l'aise. Leur
bonne humeur était si réelle qu'ils en oubliaient l'heure du repas.
Les enfants, eux, avaient meilleure mémoire. Ils accouraient, se
mêlaient à la société, hurlaient, étaient pris en charge pas les visiteurs,
sautaient de genoux en genoux. La lumière déclinait enfin sur le
30 carré du ciel dessiné par la cour, Jonas posait ses pinceaux. Il ne
restait qu'à inviter les amis, à la fortune du pot,[3] et à parler encore,
tard dans la nuit, de l'art bien sûr, mais surtout des peintres sans

---

[1] *en train* in hand (which he was working on)
[2] *des après-midis durant* for whole afternoons
[3] *à la fortune du pot* to take pot luck

talent, plagiaires ou intéressés,[1] qui n'étaient pas là. Jonas, lui,
aimait à se lever tôt, pour profiter des premières heures de la lumière.
Il savait que ce serait difficile, que le petit déjeuner ne serait pas
prêt à temps, et que lui-même serait fatigué. Mais il se réjouissait
aussi d'apprendre, en un soir, tant de choses qui ne pouvaient   5
manquer de lui être profitables, quoique de manière invisible, dans
son art. «En art, comme dans la nature, rien ne se perd, disait-il.
C'est un effet de l'étoile.»

Aux amis se joignaient parfois les disciples: Jonas maintenant
faisait école. Il en avait d'abord été surpris, ne voyant pas ce qu'on   10
pouvait apprendre de lui qui avait tout à découvrir. L'artiste, en lui,
marchait dans les ténèbres; comment aurait-il[2] enseigné les vrais
chemins? Mais il comprit assez vite qu'un disciple n'était pas forcément quelqu'un qui aspire à apprendre quelque chose. Plus souvent,
au contraire, on se faisait disciple pour le plaisir désintéressé d'en-   15
seigner son maître. Dès lors, il put accepter, avec humilité, ce
surcroît d'honneurs. Les disciples de Jonas lui expliquaient longuement ce qu'il avait peint, et pourquoi. Jonas découvrait ainsi dans son
œuvre[3] beaucoup d'intentions qui le surprenaient un peu, et une
foule de choses qu'il n'y avait pas mises. Il se croyait pauvre et,   20
grâce à ses élèves, se trouvait riche d'un seul coup. Parfois, devant
tant de richesses jusqu'alors inconnues, un soupçon de fierté effleu-
rait Jonas. «C'est tout de même vrai, se disait-il. Ce visage-là, au
dernier plan, on ne voit que lui. Je ne comprends pas bien ce qu'ils
veulent dire en parlant d'humanisation indirecte.[4] Pourtant, avec cet   25
effet, je suis allé assez loin.» Mais bien vite, il se débarrassait sur son
étoile de cette incommode maîtrise. «C'est l'étoile, disait-il, qui va
loin. Moi, je reste près de Louise et des enfants.»

Les disciples avaient d'ailleurs un autre mérite: ils obligeaient
Jonas à une plus grande rigueur envers lui-même. Ils le mettaient si   30

---

[1] *intéressés*   self-advertisers

[2] *aurait-il*   could he have

[3] *œuvre*   This word in the masculine, as here, refers to the complete
works of an artist.   It can be translated work or works here.

[4] *humanisation indirecte*   a nonsense phrase developed by the critics of
Jonas' work

haut dans leurs discours, et particulièrement en ce qui concernait sa
conscience et sa force de travail, qu'après cela aucune faiblesse ne lui
était plus permise. Il perdit ainsi sa vieille habitude de croquer un
bout de sucre ou de chocolat quand il avait terminé un passage
5   difficile, et avant de se remettre au travail. Dans la solitude, malgré
tout, il eût cédé clandestinement à cette faiblesse. Mais il fut aidé
dans ce progrès moral par la présence presque constante de ses
disciples et amis devant lesquels il se trouvait un peu gêné de grignoter du chocolat et dont il ne pouvait d'ailleurs, pour une si petite
10 manie, interrompre l'intéressante conversation.

De plus, ses disciples exigeaient qu'il restât fidèle à son esthétique. Jonas, qui peinait longuement pour recevoir de loin en loin
une sorte d'éclair fugitif où la réalité surgissait alors à ses yeux dans
une lumière vierge, n'avait qu'une idée obscure de sa propre esthéti-
15 que. Ses disciples, au contraire, en avaient plusieurs idées, contra-
dictoires et catégoriques; ils ne plaisantaient pas là-dessus. Jonas
eût aimé, parfois, invoquer le caprice, cet humble ami de l'artiste.
Mais les froncements de sourcils de ses disciples devant certaines
toiles qui s'écartaient de leur idée le forçaient à réfléchir un peu plus
20 sur son art, ce qui était tout bénéfice.

Enfin, les disciples aidaient Jonas d'une autre manière en le
forçant à donner son avis sur leur propre production. Il ne se passait
pas de jours,[1] en effet, qu'on ne lui apportât quelque toile à peine
ébauchée que son auteur plaçait entre Jonas et le tableau en train,
25 afin de faire bénéficier l'ébauche de la meilleure lumière. Il fallait
donner un avis. Jusqu'à cette époque, Jonas avait toujours eu une
secrète honte de son incapacité profonde à juger d'une œuvre d'art.
Exception faite[2] pour une poignée de tableaux qui le transportaient,
et pour les gribouillages évidemment grossiers, tout lui paraissait
30 également intéressant et indifférent. Il fut donc forcé de se constituer un arsenal de jugements, d'autant plus variés que ses disciples,
comme tous les artistes de la capitale, avaient en somme un certain
talent, et qu'il lui fallait établir, lorsqu'ils étaient là, des nuances assez
diverses pour satisfaire chacun. Cette heureuse obligation le contrai-

---

[1] *Il... jours*   Not a day went by
[2] *Exception faite*   With the exception of

gnit donc à se faire un vocabulaire, et des opinions sur son art. Sa
naturelle bienveillance ne fut d'ailleurs pas aigrie par cet effort. Il
comprit rapidement que ses disciples ne lui demandaient pas des
critiques, dont ils n'avaient que faire,[1] mais seulement des encourage-
ments et, s'il se pouvait,[2] des éloges. Il fallait seulement que les 5
éloges fussent différents. Jonas ne se contenta plus d'être aimable,
à son ordinaire. Il le fut avec ingéniosité.

Ainsi coulait le temps de Jonas, qui peignait au milieu d'amis
et d'élèves, installés sur des chaises maintenant disposées en rangs
concentriques autour du chevalet. Souvent, aussi bien, des voisins 10
apparaissaient aux fenêtres d'en face et s'ajoutaient à son public.
Il discutait, échangeait des vues, examinait les toiles qui lui étaient
soumises, souriait aux passages de Louise, consolait les enfants et
répondait chaleureusement aux appels téléphoniques, sans jamais
lâcher ses pinceaux avec lesquels, de temps en temps, il ajoutait une 15
touche au tableau commencé. Dans un sens, sa vie était bien remplie,
toutes ses heures étaient employées, et il rendait grâces au destin qui
lui épargnait l'ennui. Dans un autre sens, il fallait beaucoup de
touches pour remplir un tableau et il pensait parfois que l'ennui
avait du bon puisqu'on pouvait s'en évader par le travail acharné. La 20
production de Jonas, au contraire, ralentissait dans la mesure où[3]
ses amis devenaient plus intéressants. Même dans les rares heures
où il était tout à fait seul, il se sentait trop fatigué pour mettre les
bouchées doubles.[4] Et dans ces heures, il ne pouvait que rêver d'une
nouvelle organisation qui concilierait les plaisirs de l'amitié et les 25
vertus de l'ennui.

Il s'en ouvrit à Louise qui, de son côté, s'inquiétait devant la
croissance de ses deux aînés et l'étroitesse de leur chambre. Elle
proposa de les installer dans la grande pièce en masquant leur lit par
un paravent, et de transporter le bébé dans la petite pièce où il ne 30
serait pas réveillé par le téléphone. Comme le bébé ne tenait aucune
place, Jonas pouvait faire de la petite pièce son atelier. La grande

---

[1] *dont... faire* for which they had no use
[2] *s'il se pouvait* if it were possible
[3] *dans la mesure où* to the extent that
[4] *pour mettre les bouchées doubles* to work faster

servirait alors aux réceptions de la journée, Jonas pourrait aller et venir, rendre visite à ses amis ou travailler, sûr qu'il était d'être compris dans son besoin d'isolement. De plus, la nécessité de coucher les grands enfants permettrait d'écourter les soirées. «Superbe, dit Jonas après réflexion. — Et puis, dit Louise, si tes amis partent tôt, nous nous verrons un peu plus.» Jonas la regarda. Une ombre de tristesse passait sur le visage de Louise. Ému, il la prit contre lui, l'embrassa[1] avec toute sa tendresse. Elle s'abandonna et, pendant un instant, ils furent heureux comme ils l'avaient été au début de leur mariage. Mais elle se secoua: la pièce était peut-être trop petite pour Jonas. Louise se saisit d'un mètre pliant et ils découvrirent qu'en raison de l'encombrement créé par ses toiles et par celles de ses élèves, de beaucoup les plus nombreuses, il travaillait, ordinairement, dans un espace à peine plus grand que celui qui lui serait, désormais, attribué. Jonas procéda sans tarder au déménagement.

Sa réputation, par chance, grandissait d'autant plus qu'il travaillait moins. Chaque exposition était attendue et célébrée d'avance. Il est vrai qu'un petit nombre de critiques, parmi lesquels se trouvaient deux des visiteurs habituels de l'atelier, tempéraient de quelques réserves la chaleur de leur compte rendu. Mais l'indignation des disciples compensait, et au-delà, ce petit malheur. Bien sûr, affirmaient ces derniers avec force, ils mettaient au-dessus de tout les toiles de la première période, mais les recherches actuelles préparaient une véritable révolution. Jonas se reprochait le léger agacement qui lui venait chaque fois qu'on exaltait ses premières œuvres et remerciait avec effusion. Seul Rateau grognait: «Drôles de pistolets...[2] Ils t'aiment en statue, immobile. Avec eux, défense de vivre!» Mais Jonas défendait ses disciples: «Tu ne peux pas comprendre, disait-il à Rateau, toi, tu aimes tout ce que je fais.» Rateau

[1] *embrassa* kissed

[2] *Drôles de pistolets.* Funny bunch. Camus is here directly autobiographical. Some of his friends and critics had, in just this fashion, insisted that his early work was his best. Like any honestly conscious artist, he knew that, if in no other way, he had at least improved since those early days in that he had learned more about how to write.

riait: «Parbleu. Ce ne sont pas tes tableaux que j'aime. C'est ta peinture.»

Les tableaux continuaient de plaire en tout cas et, après une exposition accueillie chaleureusement, le marchand proposa, de lui-même,[1] une augmentation de la mensualité. Jonas accepta, en protestant de sa gratitude. «A vous entendre, dit le marchand, on croirait que vous attachez de l'importance à l'argent.» Tant de bonhomie conquit le cœur du peintre. Cependant, comme il demandait au marchand l'autorisation de donner une toile à une vente de charité, celui-ci s'inquiéta de savoir s'il s'agissait d'une charité «qui rapportait».[2] Jonas l'ignorait. Le marchand proposa donc d'en rester honnêtement aux termes du contrat qui lui accordait un privilège exclusif quant à la vente. «Un contrat est un contrat», dit-il. Dans le leur, la charité n'était pas prévue. «Ce sera comme vous voudrez», dit le peintre.

La nouvelle organisation n'apporta que des satisfactions à Jonas. Il put, en effet, s'isoler assez souvent pour répondre aux nombreuses lettres qu'il recevait maintenant et que sa courtoisie ne pouvait laisser sans réponse. Les unes concernaient l'art de Jonas, les autres, de beaucoup les plus nombreuses, la personne du correspondant, soit qu'il voulût être encouragé dans sa vocation de peintre, soit qu'il eût à demander un conseil ou une aide financière. A mesure que le nom de Jonas paraissait dans les gazettes, il fut aussi sollicité, comme tout le monde, d'intervenir pour dénoncer des injustices très révoltantes. Jonas répondait, écrivait sur l'art, remerciait, donnait son conseil, se privait d'une cravate pour envoyer un petit secours, signait enfin les justes protestations qu'on lui soumettait. «Tu fais de la politique, maintenant? Laisse ça aux écrivains et aux filles laides», disait Rateau. Non, il ne signait que les protestations qui se déclaraient étrangères à[3] tout esprit de parti. Mais toutes se réclamaient de cette belle indépendance. A longueur de semaines, Jonas traînait ses poches gonflées d'un courrier, sans cesse négligé et renouvelé. Il répondait aux plus pressantes, qui venaient

[1] *de lui-même* on his own
[2] *rapportait* brought in money
[3] *étrangères à* free from

généralement d'inconnus, et gardait pour un meilleur temps celles qui demandaient une réponse à loisir, c'est-à-dire les lettres d'amis. Tant d'obligations lui interdisaient en tout cas la flânerie, et l'insouciance du cœur. Il se sentait toujours en retard, et toujours cou-
5 pable, même quand il travaillait, ce qui lui arrivait de temps en temps.

Louise était de plus en plus mobilisée[1] par les enfants, et s'épuisait à faire tout ce que lui-même, en d'autres circonstances, eût pu faire dans la maison. Il en était malheureux. Après tout, il travaillait, lui, pour son plaisir, elle avait la plus mauvaise part. Il
10 s'en apercevait bien quand elle était en courses. «Le téléphone!» criait l'aîné, et Jonas plantait là son tableau pour y revenir, le cœur en paix, avec une invitation supplémentaire. «C'est pour le gaz!» hurlait un employé dans la porte qu'un enfant lui avait ouverte. «Voilà, voilà!»[2] Quand Jonas quittait le téléphone, ou la porte, un
15 ami, un disciple, les deux parfois, le suivaient jusqu'à la petite pièce pour terminer la conversation commencée. Peu à peu, tous devinrent familiers du couloir. Ils s'y tenaient, bavardaient entre eux, prenaient de loin Jonas à témoin, ou bien faisaient une courte irruption dans la petite pièce. «Ici, au moins, s'exclamaient ceux qui entraient, on
20 peut vous voir un peu, et à loisir.» Jonas s'attendrissait: «C'est vrai, disait-il. Finalement, on ne se voit plus.» Il sentait bien aussi qu'il décevait[3] ceux qu'il ne voyait pas, et il s'en attristait. Souvent, il s'agissait d'amis qu'il eût préféré rencontrer. Mais le temps lui manquait, il ne pouvait tout accepter. Aussi, sa réputation s'en
25 ressentit. «Il est devenu fier, disait-on, depuis qu'il a réussi. Il ne voit plus personne.» Ou bien: «Il n'aime personne, que lui.» Non, il aimait sa peinture, et Louise, ses enfants, Rateau, quelques-uns encore, et il avait de la sympathie pour tous. Mais la vie est brève, le temps rapide, et sa propre énergie avait des limites. Il était difficile
30 de peindre le monde et les hommes et, en même temps, de vivre avec eux.[4] D'un autre côté, il ne pouvait se plaindre ni expliquer ses

---

[1] *Louise... mobilisée*   Louise's time was more and more taken up
[2] *Voilà!*   I'm coming!
[3] *décevait*   was disappointing
[4] *Il était... eux*.   the problem of the amount the artist can afford to participate in the world without being lost in it

empêchements. Car on lui frappait alors sur l'épaule. «Heureux gaillard! C'est la rançon de la gloire!»

Le courrier s'accumulait donc, les disciples ne toléraient aucun relâchement, et les gens du monde maintenant affluaient que Jonas d'ailleurs estimait de s'intéresser à la peinture quand ils eussent pu,[1] comme chacun, se passionner pour la royale famille d'Angleterre ou les relais gastronomiques. A la vérité, il s'agissait surtout de femmes du monde, mais qui avaient une grande simplicité de manières. Elles n'achetaient pas elles-mêmes de toiles et amenaient seulement leurs amis chez l'artiste dans l'espoir, souvent déçu, qu'ils achèteraient à leur place. En revanche, elles aidaient Louise, particulièrement en préparant du thé pour les visiteurs. Les tasses passaient du main en main, parcouraient le couloir, de la cuisine à la grande pièce, revenaient ensuite pour atterrir dans le petit atelier où Jonas, au milieu d'une poignée d'amis et de visiteurs qui suffisaient à remplir la chambre, continuait de peindre jusqu'au moment où il devait déposer ses pinceaux pour prendre, avec reconnaissance, la tasse qu'une fascinante personne avait spécialement remplie pour lui.

Il buvait son thé, regardait l'ébauche qu'un disciple venait de poser sur son chevalet, riait avec ses amis, s'interrompait pour demander à l'un d'eux de bien vouloir poster le paquet de lettres qu'il avait écrites dans la nuit, redressait le petit deuxième tombé dans ses jambes, posait pour une photographie et puis: «Jonas, le téléphone!» il brandissait sa tasse, fendait en s'excusant la foule qui occupait son couloir, revenait, peignait un coin de tableau, s'arrêtait pour répondre à la fascinante que, certainement, il ferait son portrait, et retournait au chevalet. Il travaillait, mais: «Jonas, une signature! — Qu'est-ce que c'est, disait-il, le facteur? — Non, les forçats du Cachemire. — Voilà, voilà!» Il courait alors à la porte recevoir un jeune ami des hommes et sa protestation, s'inquiétait de savoir s'il s'agissait de politique, signait après avoir reçu un complet apaisement en même temps que des remontrances sur les devoirs que lui créaient ses privilèges d'artiste et réapparaissait pour qu'on lui présente, sans qu'il pût comprendre leur nom, un boxeur fraîchement victorieux, ou le plus grand dramaturge d'un pays étranger. Le

[1] *ils eussent pu* literary form for *ils auraient pu*

dramaturge lui faisait face pendant cinq minutes, exprimant par des regards émus ce que son ignorance du français ne lui permettait pas de dire plus clairement, pendant que Jonas hochait la tête avec une sincère sympathie. Heureusement, cette situation sans issue était
5   dénouée par l'irruption du dernier prédicateur de charme[1] qui voulait être présenté au grand peintre. Jonas, enchanté, disait qu'il l'était, tâtait le paquet de lettres dans sa poche, empoignait ses pinceaux, se préparait à reprendre un passage, mais devait d'abord remercier pour la paire de setters qu'on lui amenait à l'instant, allait
10 les garer dans la chambre conjugale, revenait pour accepter l'invitation à déjeuner de la donatrice, ressortait aux cris de Louise pour constater sans doute possible que les setters n'avaient pas été dressés à vivre en appartement, et les menait dans la salle de douches où ils hurlaient avec tant de persévérance qu'on finissait par ne plus les
15 entendre. De loin en loin, par-dessus les têtes, Jonas apercevait le regard de Louise et il lui semblait que ce regard était triste. La fin du jour arrivait enfin, des visiteurs prenaient congé, d'autres s'attardaient dans la grande pièce, et regardaient avec attendrissement Louise coucher les enfants, aidée gentiment par une élégante[2] à
20 chapeau qui se désolait de devoir tout à l'heure regagner son hôtel particulier où la vie, dispersée sur deux étages, était tellement moins intime et chaleureuse que chez les Jonas.

Un samedi après-midi, Rateau vint apporter à Louise un ingénieux séchoir à linge qui pouvait se fixer au plafond de la cuisine.
25 Il trouva l'appartement bondé et, dans la petite pièce, entouré de connaisseurs, Jonas qui peignait la donatrice aux chiens, mais était peint lui-même par un artiste officiel. Celui-ci, selon Louise, exécutait une commande de l'État. «Ce sera *l'Artiste au travail*.» Rateau se retira dans un coin de la pièce pour regarder son ami,
30 absorbé visiblement par son effort. Un des connaisseurs, qui n'avait jamais vu Rateau, se pencha vers lui: «Hein, dit-il, il a bonne mine!» Rateau ne répondit pas. «Vous peignez, continua l'autre. Moi aussi. Eh bien, croyez-moi, il baisse. — Déjà? dit Rateau. — Oui, c'est le succès. On ne résiste pas au succès. Il est fini. — Il baisse ou il est

---

[1] *prédicateur de charme*   spellbinding preacher
[2] *une élégante = une femme élégante*

fini? — Un artiste qui baisse est fini. Voyez, il n'a plus rien à peindre. On le peint lui-même et on l'accrochera au mur.»

Plus tard, au milieu de la nuit, dans la chambre conjugale, Louise, Rateau et Jonas, celui-ci debout, les deux autres assis sur un coin du lit, se taisaient. Les enfants dormaient, les chiens étaient en pension à la campagne, Louise venait de laver la nombreuse vaisselle que Jonas et Rateau avaient essuyée, la fatigue était bonne. «Prenez une domestique», avait dit Rateau, devant la pile d'assiettes. Mais Louise, avec mélancolie: «Où la mettrions-nous?» Ils se taisaient donc. «Es-tu content?» demanda soudain Rateau. Jonas sourit, mais il avait l'air las. «Oui. Tout le monde est gentil avec moi. — Non, dit Rateau. Méfie-toi. Ils ne sont pas tous bons. — Qui? — Tes amis peintres, par exemple. — Je sais, dit Jonas. Mais beaucoup d'artistes sont comme ça. Ils ne sont pas sûrs d'exister, même les plus grands. Alors, ils cherchent des preuves, ils jugent, ils condamnent. Ça les fortifie, c'est une commencement d'existence. Ils sont seuls!»[1] Rateau secouait la tête. «Crois-moi, dit Jonas, je les connais. Il faut les aimer. — Et toi, dit Rateau, tu existes donc? Tu ne dis jamais de mal de personne.» Jonas se mit à rire: «Oh! j'en pense souvent du mal. Seulement, j'oublie.» Il devint grave: «Non, je ne suis pas certain d'exister. Mais j'existerai, j'en suis sûr.»

Rateau demanda à Louise ce qu'elle en pensait. Elle sortit de sa fatigue pour dire que Jonas avait raison: l'opinion de leurs visiteurs n'avait pas d'importance. Seul le travail de Jonas importait. Et elle sentait bien que l'enfant le gênait. Il grandissait d'ailleurs, il faudrait acheter un divan, qui prendrait de la place. Comment faire, en attendant de trouver un plus grand appartement! Jonas regardait la chambre conjugale. Bien sûr, ce n'était pas l'idéal, le lit était très large. Mais la pièce était vide toute la journée. Il le dit à Louise qui réfléchit. Dans la chambre, du moins, Jonas ne serait pas dérangé; on n'oserait tout de même pas se coucher sur leur lit. «Qu'en pensez-vous?» demanda Louise, à son tour, à Rateau. Celui-ci regardait

[1] *Alors... seuls.* Because of his solitude and the dilemma of existence Camus finds man slipping into the fault of judging and condemning, a theme touched on in "L'Hôte" and which is the core of *La Chute*, originally intended to be part of this collection.

Jonas. Jonas contemplait les fenêtres d'en face. Puis, il leva les
yeux vers le ciel sans étoiles,[1] et alla tirer les rideaux. Quand il
revint, il sourit à Rateau et s'assit, près de lui, sur le lit, sans rien dire.
Louise, visiblement fourbue, déclara qu'elle allait prendre sa
5   douche. Quand les deux amis furent seuls, Jonas sentit l'épaule de
Rateau toucher la sienne. Il ne le regarda pas, mais dit: «J'aime
peindre. Je voudrais peindre ma vie entière, jour et nuit. N'est-ce
pas une chance, cela?» Rateau le regardait avec tendresse: «Oui,
dit-il, c'est une chance.»
10   Les enfants grandissaient et Jonas était heureux de les voir
gais et vigoureux. Ils allaient en classe, et revenaient à quatre heures.
Jonas pouvait encore en profiter le samedi après-midi, le jeudi,[2]
et aussi, à longueur de journées, pendant de fréquentes et longues
vacances. Ils n'étaient pas encore assez grands pour jouer sage-
15   ment, mais se montraient assez robustes pour meubler l'appartement de leurs disputes et de leurs rires. Il fallait les calmer, les
menacer, faire mine parfois de les battre. Il y avait aussi le linge à
tenir propre, les boutons à recoudre; Louise n'y suffisait plus.
Puisqu'on ne pouvait loger une domestique, ni même l'introduire
20   dans l'étroite intimité où ils vivaient, Jonas suggéra d'appeler à
l'aide la sœur de Louise, Rose, qui était restée veuve avec une grande
fille. «Oui, dit Louise, avec Rose, on ne se gênera pas.[3] On la mettra
à la porte quand on voudra.» Jonas se réjouit de cette solution qui
soulagerait Louise en même temps que sa propre conscience,
25   embarrassée devant la fatigue de sa femme. Le soulagement fut
d'autant plus grand que la sœur amenait souvent sa fille en renfort.
Toutes deux avaient le meilleur cœur du monde; la vertu et le
désintéressement éclataient dans leur nature honnête. Elles firent
l'impossible pour venir en aide au ménage et n'épargnèrent pas leur
30   temps. Elles y furent aidées par l'ennui de leurs vies solitaires et le
plaisir d'aise qu'elles trouvaient chez Louise. Comme prévu, en
effet, personne ne se gêna et les deux parentes, dès le premier jour,

---

[1] *étoiles* Jonas' star has now disappeared.
[2] *samedi…jeudi* Thursday and Saturday afternoons, when French
schools have half-holidays
[3] *on ne se gênera pas* we won't stand on ceremony

se sentirent vraiment chez elles. La grande pièce devint commune, à la fois salle à manger, lingerie, et garderie d'enfants. La petite pièce où dormait le dernier né servit à entreposer les toiles et un lit de camp [1] où dormait parfois Rose, quand elle se trouvait sans sa fille.

Jonas occupait la chambre conjugale et travaillait dans l'espace qui séparait le lit de la fenêtre. Il fallait seulement attendre que la chambre fût faite, après celle des enfants. Ensuite, on ne venait plus le déranger que pour chercher quelque pièce de linge: la seule armoire de la maison se trouvait en effet dans cette chambre. Les visiteurs, de leur côté, quoique un peu moins nombreux, avaient pris des habitudes et, contre l'espérance de Louise, n'hésitaient pas à se coucher sur le lit conjugal pour mieux bavarder avec Jonas. Les enfants venaient aussi embrasser leur père. «Fais voir l'image.» Jonas leur montrait l'image qu'il peignait et les embrassait avec tendresse. En les renvoyant, il sentait qu'ils occupaient tout l'espace de son cœur, pleinement, sans restriction. Privé d'eux, il ne retrouverait plus que vide et solitude. Il les aimait autant que sa peinture parce que, seuls dans le monde, ils étaient aussi vivants qu'elle.

Pourtant, Jonas travaillait moins, sans qu'il pût savoir pourquoi. Il était toujours assidu, mais il avait maintenant de la difficulté à peindre, même dans les moments de solitude. Ces moments, il les passait à regarder le ciel. Il avait toujours été distrait et absorbé, il devint rêveur. Il pensait à la peinture, à sa vocation, au lieu de peindre. «J'aime peindre», se disait-il encore, et la main qui tenait le pinceau pendait le long de son corps, et il écoutait une radio lointaine.

En même temps, sa réputation baissait. On lui apportait des articles réticents, d'autres mauvais, et quelques-uns si méchants que son cœur se serrait. Mais il se disait qu'il y avait aussi du profit à tirer de ces attaques qui le pousseraient à mieux travailler. Ceux qui continuaient à venir le traitaient avec moins de déférence, comme un vieil ami, avec qui il n'y a pas à se gêner. Quand il voulait retourner à son travail: «Bah! disaient-ils, tu as bien le temps!» [2] Jonas sentait que d'une certaine manière, ils l'annexaient déjà à leur propre échec.

---

[1] *lit de camp*   folding bed
[2] *tu as bien le temps*   you have plenty of time

Mais, dans un autre sens, cette solidarité[1] nouvelle avait quelque
chose de bienfaisant. Rateau haussait les épaules: «Tu es trop bête.
Ils ne t'aiment guère. — Ils m'aiment un peu maintenant, répondait
Jonas. Un peu d'amour, c'est énorme. Qu'importe comme on l'ob-
5 tient!» Il continuait donc de parler, d'écrire des lettres et de peindre,
comme il pouvait.[2] De loin en loin, il peignait vraiment, surtout le
dimanche après-midi, quand les enfants sortaient avec Louise et
Rose. Le soir, il se réjouissait d'avoir un peu avancé le tableau en
cours. A cette époque, il peignait des ciels.

10   Le jour où le marchand lui fit savoir qu'à son regret, devant la
diminution sensible des ventes, il était obligé de réduire sa mensualité,
Jonas l'approuva, mais Louise montra de l'inquiétude. C'était le mois
de septembre, il fallait habiller les enfants pour la rentrée. Elle se
mit elle-même à l'ouvrage, avec son courage habituel, et fut bientôt
15 dépassée. Rose, qui pouvait raccommoder et coudre des boutons,
n'était pas couturière. Mais la cousine de son mari l'était; elle vint
aider Louise. De temps en temps, elle s'installait dans la chambre
de Jonas, sur une chaise de coin, où cette personne silencieuse se
tenait d'ailleurs tranquille. Si tranquille même que Louise suggéra à
20 Jonas de peindre une *Ouvrière*. «Bonne idée», dit Jonas. Il essaya,
gâcha deux toiles, puis revint à un ciel commencé. Le lendemain, il
se promena longuement dans l'appartement et réfléchit au lieu de
peindre. Un disciple, tout échauffé, vint lui montrer un long article,
qu'il n'aurait pas lu autrement, où il apprit que sa peinture était en
25 même temps surfaite et périmée; le marchand lui téléphona pour lui
dire encore son inquiétude devant la courbe des ventes. Il continuait
pourtant de rêver et de réfléchir. Il dit au disciple qu'il y avait du
vrai dans l'article, mais que lui, Jonas, pouvait compter encore sur
beaucoup d'années de travail. Au marchand, il répondit qu'il
30 comprenait son inquiétude, mais qu'il ne la partageait pas. Il avait
une grande œuvre, vraiment nouvelle, à faire; tout allait recommencer. En parlant, il sentit qu'il disait vrai et que son étoile était là. Il
suffisait d'une bonne organisation.

---

[1] *solidarité*   the first appearance of a key word in this story
[2] *comme il pouvait*   as best he could

Les jours qui suivirent, il tenta de travailler dans le couloir, le surlendemain dans la salle de douches, à l'électricité,[1] le jour d'après dans la cuisine. Mais, pour la première fois, il était gêné par les gens qu'il rencontrait partout, ceux qu'il connaissait à peine et les siens,[2] qu'il aimait. Pendant quelque temps, il s'arrêta de travailler et réfléchit. Il aurait peint sur le motif[3] si la saison s'y était prêtée. Malheureusement, on allait entrer dans l'hiver, il était difficile de faire du paysage avant le printemps. Il essaya cependant, et renonça : le froid pénétrait jusqu'à son cœur. Il vécut plusieurs jours avec ses toiles, assis près d'elles le plus souvent, ou bien planté devant la fenêtre ; il ne peignait plus. Il prit alors l'habitude de sortir le matin. Il se donnait le projet de croquer un détail, un arbre, une maison de guingois, un profil saisi[4] au passage. Au bout de la journée, il n'avait rien fait. La moindre tentation, les journaux, une rencontre, des vitrines, la chaleur d'un café, le fixait au contraire. Chaque soir, il fournissait sans trêve en bonnes excuses une mauvaise conscience qui ne le quittait pas. Il allait peindre, c'était sûr, et mieux peindre, après cette période de vide apparent. Ça travaillait au-dedans, voilà tout, l'étoile sortirait lavée à neuf, étincelante, de ces brouillards obscurs. En attendant, il ne quittait plus les cafés. Il avait découvert que l'alcool lui donnait la même exaltation que les journées de grand travail, au temps où il pensait à son tableau avec cette tendresse et cette chaleur qu'il n'avait jamais ressenties que devant ses enfants. Au deuxième cognac, il retrouvait en lui cette émotion poignante qui le faisait à la fois maître et serviteur du monde. Simplement,[5] il en jouissait dans le vide, les mains oisives, sans la faire passer dans une œuvre. Mais c'était là ce qui se rapprochait le plus de la joie pour laquelle il vivait et il passait maintenant de longues heures, assis, rêvant, dans des lieux enfumés et bruyants.

Il fuyait pourtant les endroits et les quartiers fréquentés par les artistes. Quand il rencontrait une connaissance qui lui parlait de

[1] *à l'électricité* by electric light
[2] *les siens* his family
[3] *peint sur le motif* painted landscapes out-of-doors
[4] *saisi* (here) caught
[5] *Simplement* Only

sa peinture, une panique le prenait. Il voulait fuir, cela se voyait,[1]
il fuyait alors. Il savait ce qu'on disait derrière lui: «Il se prend pour
Rembrandt», et son malaise grandissait. Il ne souriait plus, en tout
cas, et ses anciens amis en tiraient une conclusion singulière, mais
5   inévitable: «S'il ne sourit plus, c'est qu'il est très content de lui.»
Sachant cela, il devenait de plus en plus fuyant et ombrageux. Il lui
suffisait, entrant dans un café, d'avoir le sentiment d'être reconnu
par une personne de l'assistance pour que tout s'obscurcît en lui.
Une seconde, il restait planté là, plein d'impuissance et d'un
10 étrange chagrin, le visage fermé sur son trouble,[2] et aussi sur un
avide et subit besoin d'amitié. Il pensait au bon regard de Rateau
et il sortait brusquement. «Tu parles d'une gueule!»[3] dit un jour
quelqu'un, tout près de lui, au moment où il disparaissait.

Il ne fréquentait plus que les quartiers excentriques[4] où
15 personne ne le connaissait. Là, il pouvait parler, sourire, sa bienveillance revenait, on ne lui demandait rien. Il se fit quelques amis
peu exigeants. Il aimait particulièrement la compagnie de l'un
d'eux, qui le servait dans un buffet de gare où il allait souvent. Ce
garçon lui avait demandé «ce qu'il faisait dans la vie». «Peintre,
20 avait répondu Jonas. — Artiste peintre ou peintre en bâtiment? —
Artiste. — Eh bien! avait dit l'autre, c'est difficile.» Et ils n'avaient
plus abordé la question. Oui, c'était difficile, mais Jonas allait s'en
tirer, dès qu'il aurait trouvé comment organiser son travail.

Au hasard des jours et des verres,[5] il fit d'autres rencontres, des
25 femmes l'aidèrent. Il pouvait leur parler, avant ou après l'amour, et
surtout se vanter un peu, elles le comprenaient même si elles n'étaient
pas convaincues. Parfois, il lui semblait que son ancienne force
revenait. Un jour où il avait été encouragé par une de ses amies, il
se décida. Il revint chez lui, essaya de travailler à nouveau dans la
30 chambre, la couturière étant absente. Mais au bout d'une heure, il
rangea sa toile, sourit à Louise sans la voir et sortit. Il but le jour

---

[1] *cela se voyait*   that could be seen
[2] *trouble*   uneasiness, disturbance
[3] *Tu... gueule!*   What a face! *or* What a hangover!
[4] *excentriques*   outlying
[5] *Au hasard... verres*   As days and drinks arranged it

entier et passa la nuit chez son amie, sans être d'ailleurs en état de la
désirer. Au matin, la douleur vivante, et son visage détruit,[1] le
reçut en la personne de Louise. Elle voulut savoir s'il avait pris cette
femme. Jonas dit qu'il ne l'avait pas fait, étant ivre, mais qu'il en
avait pris d'autres auparavant. Et pour la première fois, le cœur   5
déchiré, il vit à Louise ce visage de noyée que donnent la surprise et
l'excès de la douleur.[2] Il découvrit alors qu'il n'avait pas pensé à elle
pendant tout ce temps et il en eut honte. Il lui demanda pardon,
c'était fini, demain tout recommencerait comme auparavant.
Louise ne pouvait parler et se détourna pour cacher ses larmes.   10
    Le jour d'après, Jonas sortit très tôt. Il pleuvait. Quand il
rentra, mouillé comme un champignon, il était chargé de planches.
Chez lui, deux vieux amis, venus aux[3] nouvelles, prenaient du café
dans la grande pièce. «Jonas change de manières. Il va peindre sur
bois!» dirent-ils. Jonas souriait: «Ce n'est pas cela. Mais je commence 15
quelque chose de nouveau.» Il gagna le petit couloir qui desservait
la salle de douches, les toilettes et la cuisine. Dans l'angle droit que
faisaient les deux couloirs, il s'arrêta et considéra longuement les
hauts murs qui s'élevaient jusqu'au plafond obscur. Il fallait un
escabeau qu'il descendit chercher chez le concierge.   20
    Quand il remonta, il y avait quelques personnes de plus chez
lui et il dut lutter contre l'affection de ses visiteurs, ravis de le
retrouver, et les questions de sa famille, pour parvenir au bout du
couloir. Sa femme sortait à ce moment de la cuisine. Jonas, posant
son escabeau, la serra très fort contre lui. Louise le regardait: «Je   25
t'en prie, dit-elle, ne recommence pas. — Non, non, dit Jonas. Je vais
peindre. Il faut que je peigne.» Mais il semblait se parler à lui-même,
son regard était ailleurs. Il se mit au travail. A mi-hauteur des murs,
il construisit un plancher pour obtenir une sorte de soupente étroite,
quoique haute et profonde. A la fin de l'après-midi, tout était ter-   30
miné. En s'aidant de l'escabeau, Jonas se pendit alors au plancher de
la soupente et, pour éprouver la solidité de son travail, effectua

---

[1] *son visage détruit*   her face a wreck
[2] *que donnent... douleur*   which surprise and excess of sorrow give
[3] *aux*   for

quelques tractions.[1] Puis, il se mêla aux autres, et chacun se réjouit
de le trouver à nouveau si affectueux. Le soir, quand la maison fut
relativement vide, Jonas prit une lampe à pétrole, une chaise, un
tabouret et un cadre. Il monta le tout dans la soupente, sous le

5   regard intrigué des trois femmes et des enfants. «Voilà, dit-il du
haut de son perchoir. Je travaillerai sans déranger personne.»
Louise demanda s'il en était sûr. «Mais oui, dit-il, il faut peu de
place. Je serai plus libre. Il y a eu de grands peintres qui peignaient
à la chandelle, et... — Le plancher est-il assez solide?» Il l'était.

10 «Sois tranquille,[2] dit Jonas, c'est une très bonne solution.» Et il
redescendit.

Le lendemain, à la première heure, il grimpa dans la soupente,
s'assit, posa le cadre sur le tabouret, debout contre le mur, et
attendit sans allumer la lampe. Les seuls bruits qu'il entendait

15 directement venaient de la cuisine ou des toilettes. Les autres
rumeurs semblaient lointaines et les visites, les sonneries de l'entrée
ou du téléphone, les allées et venues, les conversations, lui parvenaient étouffées à moitié, comme si elles arrivaient de la rue ou de
l'autre cour. De plus, alors que tout l'appartement regorgeait d'une

20 lumière crue, l'ombre était ici reposante. De temps en temps, un
ami venait et se campait sous la soupente. «Que fais-tu là, Jonas? —
Je travaille. — Sans lumière? — Oui, pour le moment.» Il ne peignait pas, mais il réfléchissait. Dans l'ombre et ce demi-silence qui,
par comparaison avec ce qu'il avait vécu jusque-là, lui paraissait

25 celui du désert ou de la tombe, il écoutait son propre cœur. Les
bruits qui arrivaient jusqu'à la soupente semblaient désormais ne
plus le concerner, tout en s'adressant à lui. Il était comme ces hommes
qui meurent seuls, chez eux, en plein sommeil, et, le matin venu,
les appels téléphoniques retentissent, fiévreux et insistants, dans la

30 maison déserte, au-dessus d'un corps à jamais sourd. Mais lui vivait,
il écoutait en lui-même ce silence, il attendait son étoile, encore
cachée, mais qui se préparait à monter de nouveau, à surgir enfin,
inaltérable, au-dessus du désordre de ces jours vides. «Brille, brille,
disait-il. Ne me prive pas de ta lumière.» Elle allait briller de nouveau,

---

[1] *effectua quelques tractions* chinned himself a few times
[2] *Sois tranquille* Don't worry

il en était sûr. Mais il fallait qu'il réfléchît encore plus longtemps, puisque la chance lui était enfin donnée d'être seul sans se séparer des siens. Il fallait qu'il découvre ce qu'il n'avait pas encore compris clairement, bien qu'il l'eût toujours su, et qu'il eût toujours peint comme s'il le savait. Il devait se saisir enfin de ce secret qui n'était   5
pas seulement celui de l'art, il le voyait bien. C'est pourquoi il n'allumait pas la lampe.

Chaque jour, maintenant, Jonas remontait dans sa soupente. Les visiteurs se firent plus rares, Louise, préoccupée, se prêtant peu à la conversation. Jonas descendait pour les repas et remontait   10
dans le perchoir. Il restait immobile, dans l'obscurité, la journée entière. La nuit, il rejoignait sa femme déjà couchée. Au bout de quelques jours, il pria Louise de lui passer son déjeuner, ce qu'elle fit avec un soin qui attendrit Jonas. Pour ne pas la déranger en d'autres occasions, il lui suggéra de faire quelques provisions [1] qu'il   15
entreposerait dans la soupente. Peu à peu, il ne redescendit plus de la journée. Mais il touchait à peine à ses provisions.

Un soir, il appela Louise et demanda quelques couvertures : « Je passerai la nuit ici. » Louise le regardait, la tête penchée en arrière. Elle ouvrit la bouche, puis se tut. Elle examinait seulement Jonas   20
avec une expression inquiète et triste ; il vit soudain à quel point elle avait vieilli, et que la fatigue de leur vie avait mordu profondément sur elle aussi. Il pensa alors qu'il ne l'avait jamais vraiment aidée. Mais avant qu'il pût parler, elle lui sourit, avec une tendresse qui serra le cœur de Jonas. « Comme tu voudras, mon chéri », dit-elle.   25

Désormais, il passa ses nuits dans la soupente dont il ne redescendait presque plus. Du coup, la maison se vida de ses visiteurs puisqu'on ne pouvait plus voir Jonas ni dans la journée ni le soir. A certains, on disait qu'il était à la campagne, à d'autres, quand on était las de mentir, qu'il avait trouvé un atelier. Seul, Rateau venait   30
fidèlement. Il grimpait sur l'escabeau, sa bonne grosse tête dépassait le niveau du plancher : « Ça va ? disait-il. — Le mieux du monde — Tu travailles ? — C'est tout comme.[2] — Mais tu n'as pas de toile ! — Je travaille quand même. » Il était difficile de prolonger ce dialogue

---

[1] *faire quelques provisions*   get *or* lay in a few supplies
[2] *C'est tout comme.*   It amounts to the same thing.

de l'escabeau et de la soupente. Rateau hochait la tête, redescendait, aidait Louise en réparant les plombs ou une serrure, puis, sans monter sur l'escabeau, venait dire au revoir à Jonas qui répondait dans l'ombre: «Salut, vieux frère.» Un soir, Jonas ajouta un merci à
5 son salut. «Pourquoi merci? — Parce que tu m'aimes. — Grande nouvelle!»[1] dit Rateau et il partit.

Un autre soir, Jonas appela Rateau qui accourut. La lampe était allumée pour la première fois. Jonas se penchait, avec une expression anxieuse, hors de la soupente. «Passe-moi une toile, dit-il. — Mais
10 qu'est-ce que tu as?[2] Tu as maigri, tu as l'air d'un fantôme. — J'ai à peine mangé depuis plusieurs jours. Ce n'est rien, il faut que je travaille. — Mange d'abord. — Non, je n'ai pas faim.» Rateau apporta une toile. Au moment de disparaître dans la soupente, Jonas lui demanda: «Comment sont-ils? — Qui? — Louise et les enfants.
15 — Ils vont bien. Ils iraient mieux si tu étais avec eux. — Je ne les quitte pas. Dis-leur surtout que je ne les quitte pas.» Et il disparut. Rateau vint dire son inquiétude à Louise. Celle-ci avoua qu'elle se tourmentait elle-même depuis plusieurs jours. «Comment faire? Ah! si je pouvais travailler à sa place!» Elle faisait face à Rateau,
20 malheureuse. «Je ne peux vivre sans lui», dit-elle. Elle avait de nouveau son visage de jeune fille qui surprit Rateau. Il s'aperçut alors qu'elle avait rougi.

La lampe resta allumée toute la nuit et toute la matinée du lendemain. A ceux qui venaient, Rateau ou Louise, Jonas répondait
25 seulement: «Laisse, je travaille.» A midi, il demanda du pétrole. La lampe, qui charbonnait, brilla de nouveau d'un vif éclat jusqu'au soir. Rateau resta pour dîner avec Louise et les enfants. A minuit, il salua Jonas. Devant la soupente toujours éclairée, il attendit un moment, puis partit sans rien dire. Au matin du deuxième jour,
30 quand Louise se leva, la lampe était encore allumée.

Une belle journée commençait, mais Jonas ne s'en apercevait pas. Il avait retourné la toile contre le mur. Épuisé, il attendait, assis, les mains offertes[3] sur ses genoux. Il se disait que maintenant il ne

---

[1] *Grande nouvelle!*   That's really news!
[2] *qu'est-ce que tu as?*   what's the matter?
[3] *offertes*   (literally) offered. His hands were open, palms up.

travaillerait plus jamais, il était heureux. Il entendait les grognements
de ses enfants, des bruits d'eau, les tintements de la vaisselle. Louise
parlait. Les grandes vitres vibraient au passage d'un camion sur le
boulevard. Le monde était encore là, jeune, adorable: Jonas écoutait
la belle rumeur que font les hommes. De si loin, elle ne contrariait   5
pas cette force joyeuse en lui, son art, ces pensées qu'il ne pouvait
pas dire, à jamais silencieuses, mais qui le mettaient au-dessus de
toutes choses, dans un air libre et vif. Les enfants couraient à travers
les pièces, la fillette riait, Louise aussi maintenant, dont il n'avait
pas entendu le rire depuis longtemps. Il les aimait! Comme il les   10
aimait! Il éteignit la lampe et, dans l'obscurité revenue, là, n'était-ce
pas son étoile qui brillait toujours? C'était elle, il la reconnaissait,
le cœur plein de gratitude, et il la regardait encore lorsqu'il tomba,
sans bruit.

    «Ce n'est rien, déclarait un peu plus tard le médecin qu'on   15
avait appelé. Il travaille trop. Dans une semaine, il sera debout. —
Il guérira, vous en êtes sûr? disait Louise, le visage défait. — Il
guérira.» Dans l'autre pièce, Rateau regardait la toile, entièrement
blanche, au centre de laquelle Jonas avait seulement écrit, en très
petits caractères, un mot qu'on pouvait déchiffrer, mais dont on ne   20
savait s'il fallait y lire *solitaire* ou *solidaire*.

questions et sujets à développer

1. Quelle interprétation donnez-vous au mot *étoile*? (p. 73)
2. En quoi la confiance de Jonas en son étoile diffère-t-elle d'un sentiment religieux? (p. 73)
3. Quel effet la conversation de Jonas et de Rateau fait-elle sur le lecteur? (p. 73)
4. Soulignez les éléments ironiques qui existent dans le récit de l'éducation de Jonas. (pp. 73–74)
5. Que pense Camus des doctrines psychologiques sur l'enfance?
6. Par quelle voie indirecte Jonas fut-il amené à peindre? (p. 75)
7. Commentez la phrase "moins on lit et plus on achète de livres." (pp. 74–75)
8. Que pense Camus des activités de Louise avant son mariage? (pp. 75–77)
9. Pourquoi Louise tient-elle à dire non "qu'un tel est méchant ou laid mais qu'il se veut méchant ou laid"? Quelle est la différence? Pourquoi Rateau trouve-t-il que cela risque de mener "à la condamnation du genre humain"? (p. 76)
10. Pourquoi Camus s'amuse-t-il à suggérer que cette vérité était soutenue par la presse du cœur et les revues philosophiques? (p. 76)
11. Pourquoi Louise abandonne-t-elle la littérature? (p. 76)
12. Pourquoi Jonas est-il gêné dans sa simplicité d'artiste? (p. 76)
13. Discutez le "caractère décidé" de Louise? Est-elle, peut-être, la femme idéale pour Jonas? (p. 77)
14. Quel est le sens ironique de "une de ces heures de solitude qui donne tant de prix au bonheur des couples"? (p. 77)
15. Indiquez quelques éléments de la satire de Camus dirigée contre les propriétaires. (pp. 77–79)
16. Louise tient-elle à assurer la tranquillité de son mari? (pp. 80–81)
17. Caractérisez les amis de Jonas. (pp. 81 et suivantes)
18. Indiquez les désirs véritables des disciples de Jonas. (pp. 82 et suivantes)
19. Quels sont, d'après Camus, les rapports entre la création artistique et la critique? (pp. 83 et suivantes)

20. Quel changement dans l'installation, Louise suggère-t-elle ? (pp. 85–86)

21. Que veut dire Rateau quand il explique à Jonas, "Ce ne sont pas tes tableaux que j'aime. C'est ta peinture." (p. 87)

22. Pourquoi le marchand fait-il des objections quand Jonas veut offrir une toile à une vente de charité ? (p. 87)

23. Décrivez la façon dont Jonas est amené à vivre. (pp. 87–91)

24. Quel est le rôle à ce moment de l'histoire de la conversation entre Rateau et un ami de Jonas ? (pp. 90–91)

25. Commentez l'isolement de l'artiste suggéré par Jonas. (p. 91)

26. Quels sens donnez-vous aux observations de Jonas sur l'existence ? (p. 91)

27. Que signifie "le ciel sans étoiles" ? (p. 92)

28. Qu'attend-on de l'arrivée de la sœur de Louise ? (p. 92)

29. Quel en a été l'effet véritable ? (pp. 92–93)

30. Quel est le sens ironique de "cette solidarité nouvelle que trouve Jonas" ? (p. 94)

31. Indiquez les raisons pour lesquelles Jonas abandonne la peinture. (pp. 95–96)

32. Pourquoi Jonas préfère-t-il les quartiers où personne ne le connaît ? (pp. 95–96)

33. De quelles expressions Camus se sert-il pour exprimer la douleur de Louise ? (p. 97)

34. Quelle importance donnez-vous à la lumière dans le passage qui décrit la nouvelle installation de Jonas. (pp. 97 et suivantes)

35. Jonas attend pour allumer la lampe. Pourquoi ? (pp. 98 et suivantes)

36. Qu'est-ce que Jonas attend de son étoile ? (pp. 98–99)

37. Louise, à la fin, reprend une expression de Jonas, "comme tu voudras." Pourquoi cette répétition ? (p. 99)

38. Pourquoi Jonas dit-il avec tant de force, "Je ne les quitte pas" ? (p. 100)

39. Que veut dire Jonas en indiquant qu'il est heureux, maintenant qu'il ne travaillera plus jamais ? (pp. 100–101)

40. Son étoile est-elle vraiment là, à la fin ? (p. 101)

41. Que signifie la dernière phrase ? Quel est le rôle de l'ambiguïté ici ? (p. 101)

42. Racontez la même histoire du point du vue de Louise.

🔯 la pierre qui pousse

introduction

Camus' trip to South America in 1949 provided the setting for the last of these short stories, a heavy forest, rain, a flowing river in Brazil. It is the opposite of the desert, in which Camus and Daru or Janine had so readily felt at home. Hence it was much harder here to consent to the cosmos in its lush, heavy, rain-soaked atmosphere, for consenting to it meant consenting to an alien, rich, and sensual life in accord with it. The final tale is the account of that struggle.

Camus speaks of his endless efforts to make myths come to life in his writing. "La Pierre qui pousse" is a gigantic effort to create within a mythic framework the vision he had of the heroic task demanded of man by the twentieth century. His is the Hero who must withdraw for a period of Exile and alienation from his fellows, but who must then return and, through sacrifice, accept and be accepted. It is a fuller development of the ancient mythic structure than he had attempted in the earlier stories; this time he is directly the heir of William Faulkner, T. S. Eliot, and James Joyce, and behind them of ancient Greece and the Bible. Superhuman strength will here be tested by superhuman trials; it will not be found wanting. And the style, too, is mythic,: at almost every point the language is frankly imaged, for there are few moments in this story which lend themselves to the more direct treatment which even large sections of "La Femme adultère" could easily adopt.

The hero, D'Arrast, is a French engineer who will dike the river and save the natives from it. To them he is a hero who has come for their salvation. In this sense he is Prometheus, a heroic symbol used elsewhere by Camus, or another of his Christ-figures; but as always the figure is not directly transposed, for D'Arrast will work not the salvation of the natives but his own.

Like all myths, "La Pierre qui pousse" is both clear and unclear. There is the constant element of mystery and magic. The "growing stone" has magic properties to renew itself as the natives break off pieces to bring themselves happiness. And there will be the vow of one of the natives to carry the heavy stone in a procession, a vow which all clearly realize he must fulfill as much as did the Knights of *Parsifal* and the ancient Grail Story. When he is unable to carry out his promise and falls exhausted, D'Arrast will be impelled in a spontaneous gesture which he neither understands nor cares to analyze, to take up his burden for him, assuming the role of Jesus who had said: "Come unto me, all ye that labor and are heavy laden, and I will give you rest" (Matt. XI, 28). But Christianity is not the only religion woven into this story, and D'Arrast will not return the stone to the church: primitive pagan practices will be equally important, as will overt suggestions of Greek rites. Man, his search for his God, and his need for his fellow men will all be implicated and suggested.

D'Arrast's gain, too, will be both clear and unclear, as befits a myth, which is an effort to say more than can be analyzed and detailed. He will gain, and this much is clear, a freeing from the bonds which isolated him so painfully from his fellows: he will discover, through self-conquest, the workable solidarity with man which Jonas sought and never found. But also, when his huge strength has been tested and not found wanting, he will hear the waters of the night and sense within himself a new life beginning over again. Janine had known a moment of Exile and a glimpse of Man's Kingdom; the Renegade had turned his back upon it until the moment of crucifixion, when it was too late; the hero of "Les Muets" had not understood, when he needed to, that isolation cannot be Man's way; Daru had, at moments, known it, but his blindness and the bonds of his culture had been too strong and he ended alone; and Jonas, who had sought to love in all simplicity, had ended wondering whether solidarity with Man was even possible. Only in the case of D'Arrast is the trial successfully carried out and Man's Kingdom, sought through Exile, not merely glimpsed but won.

⌦ la pierre qui pousse

La voiture vira lourdement [1] sur la piste de latérite,[2] maintenant boueuse. Les phares découpèrent soudain dans la nuit, d'un côté de la route, puis de l'autre, deux baraques de bois couvertes de tôle. Près de la deuxième, sur la droite, on distinguait dans le léger brouillard, une tour bâtie de poutres grossières. Du sommet de la tour 5 partait un câble métallique, invisible à son point d'attache, mais qui scintillait à mesure qu'il descendait dans la lumière des phares pour disparaître derrière le talus qui coupait la route. La voiture ralentit et s'arrêta à quelques mètres des baraques.

L'homme qui en sortit, à la droite du chauffeur, peina pour 10 s'extirper de la portière. Une fois debout, il vacilla un peu sur son large corps de colosse. Dans la zone d'ombre, près de la voiture, affaissé par la fatigue, planté lourdement sur la terre, il semblait écouter le ralenti[3] du moteur. Puis il marcha dans la direction du talus et entra dans le cône de lumière des phares. Il s'arrêta au sommet 15 met de la pente, son dos énorme dessiné sur la nuit. Au bout d'un instant, il se retourna. La face noire du chauffeur luisait au-dessus du tableau de bord et souriait. L'homme fit un signe; le chauffeur coupa le contact.[4] Aussitôt, un grand silence frais tomba sur la piste et sur la forêt. On entendit alors le bruit des eaux. 20

L'homme regardait le fleuve, en contrebas, signalé seulement pas un large mouvement d'obscurité, piqué d'écailles brillantes. Une nuit plus dense et figée, loin, de l'autre côté, devait être la rive. En regardant bien, cependant, on apercevait sur cette rive immobile une flamme jaunâtre, comme un quinquet dans le lointain. Le 25 colosse se retourna vers la voiture et hocha la tête. Le chauffeur éteignit ses phares, les alluma, puis les fit clignoter régulièrement. Sur le talus, l'homme apparaissait, disparaissait, plus grand et plus

[1] *lourdement*   (here) clumsily
[2] *latérite*   a reddish-colored rock
[3] *ralenti*   idling
[4] *coupa le contact*   turned the ignition off

massif à chaque résurrection.[1] Soudain, de l'autre côté du fleuve, au
bout d'un bras invisible, une lanterne s'éleva plusieurs fois dans l'air.
Sur un dernier signe du guetteur, le chauffeur éteignit définitivement ses phares. La voiture et l'homme disparurent dans la nuit.
5 Les phares éteints, le fleuve était presque visible ou, du moins,
quelques-uns de ses longs muscles liquides qui brillaient par inter-
valles. De chaque côté de la route, les masses sombres de la forêt se
dessinaient sur le ciel et semblaient toutes proches. La petite pluie
qui avait détrempé la piste, une heure auparavant, flottait encore dans
10 l'air tiède, alourdissait le silence et l'immobilité de cette grande
clairière au milieu de la forêt vierge. Dans le ciel noir tremblaient
des étoiles embuées.

Mais de l'autre rive montèrent des bruits de chaînes, et des
clapotis étouffés. Au-dessus de la baraque, à droite de l'homme qui
15 attendait toujours, le câble se tendit. Un grincement sourd commença
de le parcourir, en même temps que s'élevait du fleuve un bruit, à
la fois vaste et faible, d'eaux labourées. Le grincement s'égalisa, le
bruit d'eaux s'élargit encore, puis se précisa, en même temps que la
lanterne grossissait. On distinguait nettement, à présent, le halo
20 jaunâtre qui l'entourait. Le halo se dilata peu à peu et de nouveau se
rétrécit, tandis que la lanterne brillait à travers la brume et commençait d'éclairer, au-dessus et autour d'elle, une sorte de toit carré
en palmes sèches, soutenu aux quatre coins par de gros bambous.
Ce grossier appentis, autour duquel s'agitaient des ombres confuses,
25 avançait avec lenteur vers la rive. Lorsqu'il fut à peu près au milieu
du fleuve, on aperçut distinctement, découpés dans la lumière
jaune, trois petits hommes au torse nu, presque noirs, coiffés de
chapeaux coniques. Ils se tenaient immobiles sur leurs jambes
légèrement écartées, le corps un peu penché pour compenser la
30 puissante dérive du fleuve soufflant de toutes ses eaux invisibles sur
la flanc d'un grand radeau grossier qui, le dernier, sortit de la nuit
et des eaux. Quand le bac se fut encore rapproché, l'homme distingua

[1] *résurrection*   a striking word for this phenomenon, deliberately used
to recall the resurrection of Christ and thus setting the symbolic tone of
the story. Notice also the reiterated emphasis on the hero's huge size and
hence strength.

derrière l'appentis, du côté de l'aval, deux grands nègres coiffés, eux aussi, de larges chapeaux de paille et vêtus seulement d'un pantalon de toile bise. Côte à côte, ils pesaient de tous leurs muscles sur des perches qui s'enfonçaient lentement dans le fleuve, vers l'arrière du radeau, pendant que les nègres, du même mouvement 5 ralenti, s'inclinaient au-dessus des eaux jusqu'à la limite de l'équilibre. A l'avant, les trois mulâtres, immobiles, silencieux, regardaient venir la rive sans lever les yeux vers celui qui les attendait.

Le bac cogna soudain contre l'extrémité d'un embarcadère qui avançait dans l'eau et que la lanterne, qui oscillait sous le choc, 10 venait seulement de révéler. Les grands nègres s'immobilisèrent, les mains au-dessus de leur tête, agrippées à l'extrémité des perches à peine enfoncées, mais les muscles tendus et parcourus d'un frémissement continu qui semblait venir de l'eau elle-même et de sa pesée. Les autres passeurs [1] lancèrent des chaînes autour des poteaux 15 de l'embarcadère, sautèrent sur les planches, et rabattirent une sorte de pont-levis [2] grossier qui recouvrit d'un plan incliné l'avant du radeau.

L'homme revint vers la voiture et s'y installa pendant que le chauffeur mettait son moteur en marche. La voiture aborda lente- 20 ment le talus, pointa son capot vers le ciel, puis le rabattit vers le fleuve et entama la pente. Les freins serrés, elle roulait, glissait un peu sur la boue, s'arrêtait, repartait. Elle s'engagea sur l'embarcadère dans un bruit de planches rebondissantes, atteignit l'extrémité où les mulâtres, toujours silencieux, s'étaient rangés de chaque côté, 25 et plongea doucement vers le radeau. Celui-ci piqua du nez dans l'eau dès que les roues avant [3] l'atteignirent et remonta presque aussitôt pour recevoir le poids entier de la voiture. Puis le chauffeur laissa courir sa machine jusqu'à l'arrière, devant le toit carré où pendait la lanterne. Aussitôt, les mulâtres replièrent le plan incliné 30 sur l'embarcadère et sautèrent d'un seul mouvement sur le bac, le décollant en même temps de la rive boueuse. Le fleuve s'arc-bouta

---

[1] *passeurs* ferrymen
[2] *pont-levis* drawbridge
[3] *piqua... roues avant* ducked its nose into the water as soon as the front wheels

sous le radeau et le souleva sur la surface des eaux où il dériva lentement au bout de la longue tringle qui courait maintenant dans le ciel,
le long du câble. Les grands noirs détendirent alors leur effort et
ramenèrent les perches. L'homme et le chauffeur sortirent de la
5   voiture et vinrent s'immobiliser sur le bord du radeau, face à
l'amont. Personne n'avait parlé pendant la manœuvre et, maintenant
encore, chacun se tenait à sa place, immobile et silencieux, excepté
un des grands nègres qui roulait une cigarette dans du papier
grossier.
10   L'homme regardait la trouée par où le fleuve surgissait de la
grande forêt brésilienne [1] et descendait vers eux. Large à cet endroit
de plusieurs centaines de mètres, il pressait des eaux troubles et
soyeuses sur le flanc du bac puis, libéré aux deux extrémités, le
débordait et s'étalait à nouveau en un seul flot puissant qui coulait
15   doucement, à travers la forêt obscure, vers la mer et la nuit. Une
odeur fade, venue de l'eau ou du ciel spongieux, flottait. On entendait
maintenant le clapotis des eaux lourdes sous le bac et, venus des
deux rives, l'appel espacé des crapauds-buffles [2] ou d'étranges cris
d'oiseaux. Le colosse se rapprocha du chauffeur. Celui-ci, petit et
20   maigre, appuyé contre un des piliers de bambou, avait enfoncé ses
poings dans les poches d'une combinaison autrefois bleue, maintenant couverte de la poussière rouge qu'ils avaient remâchée pendant
toute la journée. Un sourire épanoui sur son visage tout plissé
malgré sa jeunesse, il regardait sans les voir les étoiles exténuées
25   qui nageaient encore dans le ciel humide.
¹
         Mais les cris d'oiseaux se firent plus nets, des jacassements
inconnus s'y mêlèrent et, presque aussitôt, le câble se mit à grincer.
Les grands noirs enfoncèrent leurs perches et tâtonnèrent, avec des
gestes d'aveugles, à la recherche du fond. L'homme se retourna vers
30   la rive qu'ils venaient de quitter. Elle était à son tour recouverte par
la nuit et les eaux, immense et farouche comme le continent d'arbres
qui s'étendait au-delà sur des milliers de kilomètres. Entre l'océan

---

[1] *brésilienne* Brazilian, the first indication for the reader of where the
story is taking place
[2] *crapauds-buffles* bullfrogs

tout proche et cette mer végétale,[1] la poignée d'hommes qui dérivait
à cette heure sur un fleuve sauvage semblait maintenant perdue.
Quand le radeau heurta le nouvel embarcadère ce fut comme si,
toutes amarres rompues, ils abordaient une île dans les ténèbres,
après des jours de navigation effrayée.   5
A terre, on entendit enfin la voix des hommes. Le chauffeur
venait de les payer et, d'une voix étrangement gaie dans la nuit
lourde, ils saluaient en portugais la voiture qui se remettait en marche.
«Ils ont dit soixante, les kilomètres d'Iguape.[2] Trois heures tu
roules et c'est fini. Socrate est content», annonça le chauffeur.   10
L'homme rit, d'un bon rire, massif et chaleureux, qui lui
ressemblait.
«Moi aussi, Socrate, je suis content. La piste est dure.
— Trop lourd, monsieur d'Arrast, tu es trop lourd», et le
chauffeur riait aussi sans pouvoir s'arrêter.   15
La voiture avait pris un peu de vitesse. Elle roulait entre de
hauts murs d'arbres et de végétation inextricable, au milieu d'une
odeur molle et sucrée. Des vols entrecroisés de mouches lumineuses
traversaient sans cesse l'obscurité de la forêt et, de loin en loin, des
oiseaux aux yeux rouges venaient battre pendant une seconde le   20
pare-brise. Parfois, un feulement étrange leur parvenait des pro-
fondeurs de la nuit et le chauffeur regardait son voisin en roulant
comiquement les yeux.
La route tournait et retournait, franchissait de petites rivières
sur des ponts de planches bringuebalantes. Au bout d'une heure, la   25
brume commença de s'épaissir. Une petite pluie fine, qui dissolvait
la lumière des phares, se mit à tomber. D'Arrast, malgré les secousses,

---

[1] *mer végétale* Again, as in "La Femme adultère," Camus de-animates
his living nature, making it a dead, untouchable quantity. There a dust-covered
tree could be called an *"arbre minéral"*; here a forest is a sea, only partially
redeemed by being of vegetable matter; and the men on the river will feel
lost in its hostility.

[2] *Iguape* Socrates, the significantly named chauffeur, speaks a simpli-
fied French, usually ungrammatical but quite easy to follow. Here he reports
that the natives said it was sixty kilometers to the village of Iguape. He will
normally use the *"tu"* form to D'Arrast, a typical aspect of this "pidgin
French."

dormait à moitié. Il ne roulait plus dans la forêt humide, mais à nouveau sur les routes de la Serra [1] qu'ils avaient prises le matin, au sortir de São Paulo. Sans arrêt, de ces pistes de terre s'élevait la poussière rouge dont ils avaient encore le goût dans la bouche et qui,
5   de chaque côté, aussi loin que portait la vue, recouvrait la végétation rare de la steppe. Le soleil lourd, les montagnes pâles et ravinées, les zébus [2] faméliques rencontrés sur les routes avec, pour seule escorte, un vol fatigué d'urubus [3] dépenaillés, la longue, longue navigation à travers un désert rouge... Il sursauta. La voiture s'était
10 arrêtée. Ils étaient maintenant au Japon: des maisons à la décoration fragile de chaque côté de la route et, dans les maisons, des kimonos furtifs. Le chauffeur parlait à un Japonais, vêtu d'une combinaison sale, coiffé d'un chapeau de paille brésilien. Puis la voiture démarra.
    «Il a dit quarante kilomètres seulement.
15 — Où étions-nous? A Tokio?
    — Non, Registro. Chez nous tous les Japonais viennent là.
    — Pourquoi?
    — On sait pas. Ils sont jaunes, tu sais, monsieur d'Arrast.»
    Mais la forêt s'éclaircissait un peu, la route devenait plus facile,
20 quoique glissante. La voiture patinait sur du sable. Par la portière, entrait un souffle humide, tiède, un peu aigre.
    «Tu sens, dit le chauffeur avec gourmandise, c'est la bonne mer. Bientôt Iguape.
    — Si nous avons assez d'essence», dit d'Arrast.
25 Et il se rendormit paisiblement.

    Au petit matin, d'Arrast, assis dans son lit, regardait avec étonnement la salle où il venait de se réveiller. Les grands murs, jusqu'à mi-hauteur, étaient fraîchement badigeonnés de chaux brune. Plus haut, ils avaient été peints en blanc à une époque lointaine
30 et des lambeaux de croûtes jaunâtres les recouvraient jusqu'au plafond. Deux rangées de six lits se faisaient face. D'Arrast ne

---

[1] *Serra*   the Portuguese word corresponding to the Spanish "Sierra," mountain range
[2] *zébu(s)*   zebu, a humped ox
[3] *urubu(s)*   a black vulture

voyait qu'un lit défait à l'extrémité de sa rangée, et ce lit était vide. Mais il entendit du bruit à sa gauche et se retourna vers la porte où Socrate, une bouteille d'eau minérale dans chaque main, se tenait en riant. «Heureux souvenir!» disait-il. D'Arrast se secoua. Oui, l'hôpital où le maire les avait logés la veille s'appelait «Heureux souvenir». «Sûr souvenir, continuait Socrate. Ils m'ont dit d'abord construire l'hôpital, plus tard construire l'eau. En attendant, heureux souvenir, tiens l'eau piquante[1] pour te laver.» Il disparut, riant et chantant, nullement épuisé, en apparence, par les éternuements cataclysmiques qui l'avaient secoué toute la nuit et avaient empêché d'Arrast de fermer l'œil.

Maintenant, d'Arrast était tout à fait réveillé. A travers les fenêtres grillagées, en face de lui, il apercevait une petite cour de terre rouge, détrempée par la pluie qu'on voyait couler sans bruit sur un bouquet de grands aloès. Une femme passait, portant à bout de bras un foulard jaune déployé au-dessus de sa tête. D'Arrast se recoucha, puis se redressa aussitôt et sortit du lit qui plia et gémit sous son poids. Socrate entrait au même moment: «A toi, monsieur d'Arrast. Le maire attend dehors.» Mais devant l'air de d'Arrast: «Reste tranquille, lui jamais pressé.»

Rasé à l'eau minérale, d'Arrast sortit sous le porche du pavillon. Le maire qui avait la taille et, sous ses lunettes cerclées d'or, la mine d'une belette aimable, semblait absorbé dans une contemplation morne de la pluie. Mais un ravissant sourire le transfigura dès qu'il aperçut d'Arrast. Il raidit sa petite taille, se précipita et tenta d'entourer de ses bras le torse de «M. l'ingénieur». Au même moment, une voiture freina devant eux, de l'autre côté du petit mur de la cour, dérapa dans la glaise mouillée, et s'arrêta de guingois. «Le juge!»[2] dit le maire. Le juge, comme le maire, était habillé de blue marine. Mais il était beaucoup plus jeune ou, du moins, le paraissait à cause de sa taille élégante et son frais visage d'adolescent étonné. Il traversait maintenant la cour, dans leur direction, en évitant les flaques d'eau avec beaucoup de grâce. A quelques pas de

---

[1] *tiens... piquante* here is the fizz water
[2] *juge* Recall Camus' opposition to judges and judging.

d'Arrast, il tendait déjà les bras et lui souhaitait la bienvenue. Il était fier d'accueillir M. l'ingénieur, c'était un honneur que ce dernier faisait à leur pauvre ville, il se réjouissait du service inestimable que M. l'ingénieur allait rendre à Iguape par la construction de
5 cette petite digue qui éviterait l'inondation périodique des bas quartiers. Commander aux eaux,¹ dompter les fleuves, ah! le grand métier, et sûrement les pauvres gens d'Iguape retiendraient le nom de M. l'ingénieur et dans beaucoup d'années encore le prononceraient dans leurs prières. D'Arrast, vaincu par tant de charme et
10 d'éloquence, remercia et n'osa plus se demander ce qu'un juge pouvait avoir à faire avec une digue. Au reste, il fallait, selon le maire, se rendre au club où les notables désiraient recevoir dignement M. l'ingénieur avant d'aller visiter les bas quartiers. Qui étaient les notables?
15   «Eh! bien, dit le maire, moi-même, en tant que maire, M. Carvalho, ici présent, le capitaine du port, et quelques autres moins importants. D'ailleurs, vous n'aurez pas à vous en occuper, ils ne parlent pas français.»
    D'Arrast appela Socrate et lui dit qu'il le retrouverait à la fin de
20 la matinée.
    «Bien oui, dit Socrate. J'irai au Jardin de la Fontaine.
    — Au Jardin?
    — Oui, tout le monde connaît. Sois² pas peur, monsieur d'Arrast.»
25   L'hôpital, d'Arrast s'en aperçut en sortant, était construit en bordure de la forêt, dont les frondaisons massives surplombaient presque les toits. Sur toute la surface des arbres tombait maintenant un voile d'eau fine que la forêt épaisse absorbait sans bruit, comme une énorme éponge. La ville, une centaine de maisons, à peu près,
30 couvertes de tuiles aux couleurs éteintes, s'étendait entre la forêt et la fleuve, dont le souffle lointain parvenait jusqu'à l'hôpital. La voiture s'engagea d'abord dans des rues détrempées et déboucha presque aussitôt sur une place rectangulaire, assez vaste, qui gardait dans son argile rouge, entre de nombreuses flaques, des traces de

¹ *Commander aux eaux*   another suggestion of a Christ symbol
² *Sois* = *N'aie*

pneus, de roues ferrées et de sabots. Tout autour, les maisons basses,
couvertes de crépi multicolore, fermaient la place derrière laquelle
on apercevait les deux tours rondes d'une église bleue et blanche, de
style colonial. Sur ce décor nu flottait, venant de l'estuaire, une
odeur de sel. Au milieu de la place erraient quelques silhouettes 5
mouillées. Le long des maisons, une foule bigarrée de gauchos, de
Japonais, d'Indiens métis et de notables élégants, dont les complets
sombres paraissaient ici exotiques, circulaient à petits pas, avec des
gestes lents. Ils se garaient sans hâte, pour faire place à la voiture,
puis s'arrêtaient et la suivaient du regard. Lorsque la voiture stoppa 10
devant une des maisons de la place, un cercle de gauchos humides
se forma silencieusement autour d'elle.

Au club, une sorte de petit bar au premier étage, meublé d'un
comptoir de bambous et de guéridons en tôle, les notables étaient
nombreux. On but de l'alcool de canne en l'honneur de d'Arrast, 15
après que le maire, verre en main, lui eut souhaité la bienvenue et
tout le bonheur du monde. Mais pendant que d'Arrast buvait, près
de la fenêtre, un grand escogriffe, en culotte de cheval et leggins, vint
lui tenir, en chancelant un peu, un discours rapide et obscur où
l'ingénieur reconnut seulement le mot «passeport». Il hésita, puis 20
sortit le document dont l'autre s'empara avec voracité. Après avoir
feuilleté le passeport, l'escogriffe afficha une mauvaise humeur
évidente. Il reprit son discours, secouant le carnet sous le nez de
l'ingénieur qui, sans s'émouvoir, contemplait le furieux. A ce
moment, le juge, souriant, vint demander de quoi il était question. 25
L'ivrogne examina un moment la frêle créature qui se permettait de
l'interrompre puis, chancelant de façon plus dangereuse, secoua
encore le passeport devant les yeux de son nouvel interlocuteur.
D'Arrast, paisiblement, s'assit près d'un guéridon et attendit. Le
dialogue devint très vif et, soudain, le juge étrenna une voix fracas- 30
sante qu'on ne lui aurait pas soupçonnée. Sans que rien l'eût fait
prévoir, l'escogriffe battit soudain en retraite avec l'air d'un enfant
pris en faute. Sur une dernière injonction du juge, il se dirigea vers la
porte, de la démarche oblique du cancre puni, et disparut.

Le juge vint aussitôt expliquer à d'Arrast, d'une voix redevenue 35
harmonieuse, que ce grossier personnage était le chef de la police,

qu'il osait prétendre que le passeport n'était pas en règle et qu'il serait puni de son incartade. M. Carvalho s'adressa ensuite aux notables, qui faisaient cercle, et sembla les interroger. Après une courte discussion, le juge exprima des excuses solennelles à d'Arrast,
5 lui demanda d'admettre [1] que seule l'ivresse pouvait expliquer un tel oubli des sentiments de respect et de reconnaissance que lui devait la ville d'Iguape tout entière et, pour finir, lui demanda de bien vouloir décider lui-même de la punition qu'il convenait d'infliger à ce personnage calamiteux. D'Arrast dit qu'il ne voulait pas de
10 punition, que c'était un incident sans importance et qu'il était surtout pressé d'aller au fleuve. Le maire prit alors la parole pour affirmer avec beaucoup d'affectueuse bonhomie qu'une punition, vraiment, était indispensable, que le coupable resterait aux arrêts et qu'ils attendraient tous ensemble que leur éminent visiteur voulût
15 bien décider de son sort. Aucune protestation ne put fléchir cette rigueur souriante et d'Arrast dut promettre qu'il réfléchirait. On décida ensuite de visiter les bas quartiers.

Le fleuve étalait déjà largement ses eaux jaunies sur les rives basses et glissantes. Ils avaient laissé derrière eux les dernières
20 maisons d'Iguape et ils se trouvaient entre le fleuve et un haut talus escarpé où s'accrochaient des cases de torchis et de branchages. Devant eux, à l'extrémité du remblai, la forêt recommençait, sans transition, comme sur l'autre rive. Mais la trouée des eaux s'élargissait rapidement entre les arbres jusqu'à une ligne indistincte, un peu
25 plus grise que jaune, qui était la mer. D'Arrast, sans rien dire, marcha vers le talus au flanc duquel les niveaux différents des crues avaient laissé des traces encore fraîches. Un sentier boueux remontait vers les cases. Devant ces dernières, des noirs se dressaient, silencieux, regardant les nouveaux venus. Quelques couples se tenaient par la
30 main et, tout au bord du remblai, devant les adultes, une rangée de tendres négrillons, au ventre ballonné et aux cuisses grêles, écarquillaient des yeux ronds.

Parvenu devant les cases, d'Arrast appela d'un geste le commandant du port. Celui-ci était un gros noir rieur vêtu d'un uni-
35 forme blanc. D'Arrast lui demanda en espagnol s'il était possible de

[1] *admettre* agree, allow

visiter une case. Le commandant en était sûr, il trouvait même que
c'était une bonne idée, et M. l'Ingénieur allait voir des choses très
intéressantes. Il s'adressa aux noirs, leur parlant longuement, en
désignant d'Arrast et le fleuve. Les autres écoutaient, sans mot dire.
Quand le commandant eut fini, personne ne bougea. Il parla de   5
nouveau, d'une voix impatiente. Puis, il interpella un des hommes
qui secoua la tête. Le commandant dit alors quelques mots brefs
sur un ton impératif. L'homme se détacha du groupe, fit face à
d'Arrast et, d'un geste, lui montra le chemin. Mais son regard était
hostile.[1] C'était un homme assez âgé, à la tête couverte d'une courte   10
laine[2] grisonnante, le visage mince et flétri, le corps pourtant jeune
encore, avec de dures épaules sèches et des muscles visibles sous le
pantalon de toile et la chemise déchirée. Ils avancèrent, suivis du
commandant et de la foule des noirs, et grimpèrent sur un nouveau
talus, plus déclive, où les cases de terre, de fer-blanc et de roseaux   15
s'accrochaient si difficilement au sol qu'il avait fallu consolider leur
base avec de grosses pierres. Ils croisèrent une femme qui descendait
le sentier, glissant parfois sur ses pieds nus, portant haut sur la
tête un bidon de fer plein d'eau. Puis, ils arrivèrent à une sorte de
petite place délimitée par trois cases. L'homme marcha vers l'une   20
d'elles et poussa une porte de bambous dont les gonds étaient faits
de lianes. Il s'effaça, sans rien dire, fixant l'ingénieur du même
regard impassible. Dans la case, d'Arrast ne vit d'abord rien qu'un
feu mourant, à même le sol, au centre exact de la pièce. Puis, il
distingua dans un coin, au fond, un lit de cuivre au sommier nu et   25
défoncé, une table dans l'autre coin, couverte d'une vaisselle de
terre[3] et, entre les deux, une sorte de tréteau où trônait un chromo
représentant saint Georges. Pour le reste, rien qu'un tas de loques,
à droite de l'entrée et, au plafond, quelques pagnes multicolores qui
séchaient au-dessus du feu. D'Arrast, immobile, respirait l'odeur de   30
fumée et de misère qui montait du sol et le prenait à la gorge. Derrière

---

[1] *hostile* Like Daru of "L'Hôte," so here D'Arrast (note the resem-
blance in the sound of the names) must make an effort to overcome the
hostility; but D'Arrast will make a much greater effort than did Daru.

[2] *laine* (here) fuzz

[3] *terre* earthenware

lui, le commandant frappa dans ses mains.[1] L'ingénieur se retourna et, sur le seuil, à contre-jour, il vit seulement arriver la gracieuse silhouette d'une jeune fille noire qui lui tendait quelque chose : il se saisit d'un verre et but l'épais alcool de canne qu'il contenait. La
5   jeune fille tendit son plateau pour recevoir le verre vide et sortit dans un mouvement si souple et si vivant que d'Arrast eut soudain envie de la retenir.

Mais, sorti derrière elle, il ne la reconnut pas dans la foule des noires et des notables qui s'était amassée autour de la case. Il
10 remercia le vieil homme, qui s'inclina sans un mot. Puis il partit. Le commandant, derrière lui, reprenait ses explications, demandait quand la Société française de Rio[2] pourrait commencer les travaux et si la digue pourrait être construite avant les grandes pluies. D'Arrast ne savait pas, il n'y pensait pas en vérité. Il descendait vers le fleuve
15 frais, sous la pluie impalpable. Il écoutait toujours ce grand bruit spacieux qu'il n'avait cessé d'entendre depuis son arrivée, et dont on ne pouvait dire s'il était fait du froissement[3] des eaux ou des arbres. Parvenu sur la rive, il regardait au loin la ligne indécise de la mer, les milliers de kilomètres d'eaux solitaires et l'Afrique, et, au-
20 delà, l'Europe d'où il venait.

«Commandant, dit-il, de quoi vivent ces gens que nous venons de voir ?

— Ils travaillent quand on a besoin d'eux, dit le commandant. Nous sommes pauvres.
25 — Ceux-là sont les plus pauvres ?

— Ils sont les plus pauvres.»

Le juge qui, à ce moment-là, arrivait en glissant légèrement sur ses fins souliers dit qu'ils aimaient déjà M. l'Ingénieur qui allait leur donner du travail.
30 «Et vous savez, dit-il, ils dansent et ils chantent tous les jours.»

---

[1] *frappa... mains*   clapped
[2] *Société française de Rio*   French Rio Company
[3] *froissement*   This word normally refers to crumpling or creasing, as with a piece of cloth.   Here it suggests the swirling of the water and the brushing of the leaves by the wind.

Puis, sans transition, il demanda à d'Arrast s'il avait pensé à la punition.

«Quelle punition?

— Eh bien, notre chef de police.

— Il faut le laisser.» Le juge dit que ce n'était pas possible et   5
qu'il fallait punir.[1] D'Arrast marchait déjà vers Iguape.

Dans le petit Jardin de la Fontaine, mystérieux et doux sous la pluie fine, des grappes de fleurs étranges dévalaient le long des lianes entre les bananiers et les pandanus.[2] Des amoncellements de pierres humides marquaient le croisement des sentiers où circulait, à cette   10
heure, une foule bariolée. Des métis, des mulâtres, quelques gauchos y bavardaient à voix faible ou s'enfonçaient, du même pas lent, dans les allées de bambous jusqu'à l'endroit où les bosquets et les taillis devenaient plus denses, puis impénétrables. Là, sans transition, commençait la forêt.   15

D'Arrast cherchait Socrate au milieu de la foule quand il le reçut dans son dos.[3]

«C'est la fête, dit Socrate en riant, et il s'appuyait sur les hautes épaules de d'Arrast pour sauter sur place.

— Quelle fête?   20

— Eh! s'étonna Socrate qui faisait face maintenant à d'Arrast, tu connais pas? La fête du bon Jésus. Chaque l'année, tous viennent à la grotte avec le marteau.»

Socrate montrait non pas une grotte, mais un groupe qui semblait attendre dans un coin du jardin.   25

«Tu vois! Un jour, la bonne statue de Jésus, elle est arrivée de la mer, en remontant le fleuve. Des pêcheurs l'a trouvée. Que belle![4] Que belle! Alors, ils l'a lavée ici dans la grotte. Et maintenant une pierre a poussé dans la grotte. Chaque année, c'est la fête. Avec le marteau, tu casses, tu casses des morceaux pour le bonheur béni.   30

---

[1] *Le juge... punir*. Judges, for Camus, must carry out the legal machinery once it is set in motion, no matter how silly, or destructive of the individual. Camus had been objecting to this beginning with *L'Etranger*. Cf. "L'Hôte."

[2] *pandanus* a tree of palm-like shape; the name is the same in English.

[3] *quand... dos* when Socrates bumped into him from behind

[4] *Que belle!* = *Qu'elle est belle!*

Et puis quoi, elle pousse toujours, toujours tu casses. C'est le miracle.»
Ils étaient arrivés à la grotte dont on apercevait l'entrée basse
par-dessus les hommes qui attendaient. A l'intérieur, dans l'ombre
piquée par des flammes tremblantes de bougies, une forme accroupie
5 cognait en ce moment avec un marteau. L'homme, un gaucho maigre
aux longues moustaches, se releva et sortit, tenant dans sa paume
offerte[1] à tous un petit morceau de schiste humide sur lequel, au
bout de quelques seconds, et avant de s'éloigner, il referma la
main avec précaution. Un autre homme alors entra dans la grotte
10 en se baissant.

D'Arrast se retourna. Autour de lui, les pèlerins attendaient,
sans le regarder, impassibles sous l'eau qui descendait des arbres en
voiles fins. Lui aussi attendait, devant cette grotte, sous la même
brume d'eau, et il ne savait quoi. Il ne cessait d'attendre, en vérité,[2]
15 depuis un mois qu'il était arrivé dans ce pays. Il attendait, dans la
chaleur rouge des jours humides, sous les étoiles menues de la nuit,
malgré les tâches qui étaient les siennes, les digues à bâtir, les routes
à ouvrir, comme si le travail qu'il était venu faire ici n'était qu'un
prétexte, l'occasion d'une surprise, ou d'une rencontre qu'il n'imagi-
20 nait même pas, mais qui l'aurait attendu, patiemment, au bout du
monde. Il se secoua, s'éloigna sans que personne, dans le petit
groupe, fît attention à lui, et se dirigea vers la sortie. Il fallait retourner au fleuve et travailler.

Mais Socrate l'attendait à la porte, perdu dans une conversation
25 volubile avec un homme petit et gros, râblé, à la peau jaune plutôt
que noire. Le crâne complètement rasé de ce dernier agrandissait
encore un front de belle courbure. Son large visage lisse s'ornait au
contraire d'une barbe très noire, taillée en carré.

«Celui-là, champion! dit Socrate en guise de présentation.
30 Demain, il fait la procession.»

L'homme, vêtu d'un costume marin en grosse serge, un tricot à
raies bleues et blanches sous la vareuse marinière, examinait d'Arrast,

---

[1] *offerte* (here) open
[2] *Il... vérité* He had been waiting all the time, in fact. Note the
suggestion of the heroic mission, only partly glimpsed or understood by the
hero himself.

attentivement, de ses yeux noirs et tranquilles. Il souriait en même temps de toutes ses dents très blanches entre les lèvres pleines et luisantes.

«Il parle d'espagnol,[1] dit Socrate et, se tournant vers l'inconnu:
— Raconte M. d'Arrast.» Puis, il partit en dansant vers un 5
autre groupe. L'homme cessa de sourire et regarda d'Arrast avec une franche curiosité.

«Ça t'intéresse, Capitaine?
— Je ne suis pas capitaine, dit d'Arrast.
— Ça ne fait rien.[2] Mais tu es seigneur. Socrate me l'a dit. 10
— Moi, non. Mais mon grand-père l'était. Son père aussi et tous ceux d'avant son père. Maintenant, il n'y a plus de seigneurs dans nos pays.

— Ah! dit le noir en riant, je comprends, tout le monde est seigneur. 15

— Non, ce n'est pas cela. Il n'y a ni seigneurs ni peuple.»
L'autre réfléchissait, puis il se décida:
«Personne ne travaille, personne ne souffre?
— Oui, des millions d'hommes.
— Alors, c'est le peuple. 20
— Comme cela[3] oui, il y a un peuple. Mais ses maîtres sont des policiers ou des marchands.»

Le visage bienveillant du mulâtre se referma. Puis, il grogna:
«Humph! Acheter et vendre, hein! Quelle saleté! Et avec la police, les chiens commandent.» 25

Sans transition, il éclata de rire.
«Toi, tu ne vends pas?
— Presque pas. Je fais des ponts, des routes.
— Bon, ça! Moi, je suis coq[4] sur un bateau. Si tu veux, je te ferai notre plat de haricots noirs. 30

[1] d'espagnol = l'espagnol
[2] Ça ne fait rien. That doesn't matter.
[3] Comme cela In that sense
[4] coq (here) cook, by a play on the sound of the word in English or pidgin English. Coq means cock, which, in French as in English, suggests a victorious, cocky manner.

— Je veux bien.»

Le coq se rapprocha de d'Arrast et lui prit le bras.

«Écoute, j'aime ce que tu dis. Je vais te dire aussi. Tu aimeras peut-être.»

5 Il l'entraîna, près de l'entrée, sur un banc de bois humide, au pied d'un bouquet de bambous.

«J'étais en mer, au large d'Iguape, sur un petit pétrolier qui fait le cabotage pour approvisionner les ports de la côte. Le feu a pris à bord. Pas par ma faute, eh! je sais mon métier! Non, le malheur!

10 Nous avons pu mettre les canots à l'eau. Dans la nuit, la mer s'est levée, elle a roulé le canot, j'ai coulé. Quand je suis remonté, j'ai heurté le canot de la tête. J'ai dérivé. La nuit était noire, les eaux sont grandes et puis je nage mal, j'avais peur. Tout d'un coup, j'ai vu une lumière au loin, j'ai reconnu le dôme de l'église du bon

15 Jésus à Iguape. Alors, j'ai dit au bon Jésus que je porterais à la procession une pierre de cinquante kilos [1] sur la tête s'il me sauvait. Tu ne me crois pas, mais les eaux se sont calmées et mon cœur aussi. J'ai nagé doucement, j'étais heureux, et je suis arrivé à la côte. Demain, je tiendrai ma promesse.»

20 Il regarda d'Arrast d'un air soudain soupçonneux.

«Tu ne ris pas, hein?

— Je ne ris pas. Il faut faire ce que l'on a promis.»

L'autre lui frappa sur l'épaule.

«Maintenant, viens chez mon frère, près du fleuve. Je te cuirai

25 des haricots.

— Non, dit d'Arrast, j'ai à faire. [2] Ce soir, si tu veux.

— Bon. Mais cette nuit, on danse et on prie, dans la grande case. C'est la fête pour saint Georges.» D'Arrast lui demanda s'il dansait aussi. Le visage du coq se durcit tout d'un coup; ses yeux, pour la

30 première fois, fuyaient. [3]

«Non, non, je ne danserai pas. Demain, il faut porter la pierre. Elle est lourde. J'irai ce soir, pour fêter le saint. Et puis je partirai tôt.

---

[1] *cinquante kilos* a little more than 110 pounds
[2] *j'ai à faire* I have things to do
[3] *fuyaient* fled, in the sense of avoiding

— Ça dure longtemps ?

— Toute la nuit, un peu le matin.»

Il regarda d'Arrast, d'un air vaguement honteux.

«Viens à la danse. Et tu m'emmèneras après. Sinon, je resterai, je danserai, je ne pourrai peut-être pas m'empêcher.

— Tu aimes danser?»

Les yeux du coq brillèrent d'une sorte de gourmandise.

«Oh! oui, j'aime. Et puis il y a les cigares, les saints, les femmes. On oublie tout, on n'obéit plus.

— Il y a des femmes ? Toutes les femmes de la ville ?

— De la ville, non, mais des cases.»

Le coq retrouva son sourire.

«Viens. Au capitaine, j'obéis. Et tu m'aideras à tenir demain la promesse.»

D'Arrast se sentit vaguement agacé.[1] Que lui faisait cette absurde promesse? Mais il regarda le beau visage ouvert qui lui souriait avec confiance et dont la peau noire luisait de santé et de vie.

«Je viendrai, dit-il. Maintenant, je vais t'accompagner un peu.»

Sans savoir pourquoi, il revoyait en même temps la jeune fille noire lui présenter l'offrande de bienvenue.[2]

Ils sortirent du jardin, longèrent quelques rues boueuses et parvinrent sur la place défoncée que la faible hauteur des maisons qui l'entouraient faisait paraître encore plus vaste. Sur le crépi des murs, l'humidité ruisselait maintenant, bien que la pluie n'eût pas augmenté. A travers les espaces spongieux du ciel, la rumeur du fleuve et des arbres parvenait, assourdie, jusqu'à eux. Ils marchaient d'un même pas, lourd chez d'Arrast, musclé chez le coq. De temps en temps, celui-ci levait la tête et souriait à son compagnon. Ils prirent la direction de l'église qu'on apercevait au-dessus des maisons, atteignirent l'extrémité de la place, longèrent encore des rues boueuses où flottaient maintenant des odeurs agressives de cuisine. De

---

[1] *agacé* Like Daru, D'Arrast feels annoyance.

[2] *bienvenue* As he will be giving to the Cock, so she had given to him.

temps en temps, une femme, tenant une assiette ou un instrument de cuisine, montrait dans l'une des portes un visage curieux, et disparaissait aussitôt. Ils passèrent devant l'église, s'enfoncèrent dans un vieux quartier, entre les mêmes maisons basses, et débouchèrent
5 soudain sur le bruit du fleuve invisible, derrière le quartier des cases que d'Arrast reconnut.

«Bon. Je te laisse. A ce soir,[1] dit-il.

— Oui, devant l'église.»

Mais le coq retenait en même temps la main de d'Arrast. Il
10 hésitait. Puis il se décida:

«Et toi, n'as-tu jamais appelé, fait une promesse?

— Si, une fois, je crois.

— Dans un naufrage?

— Si tu veux.» Et d'Arrast dégagea sa main brusquement. Mais
15 au moment de tourner les talons, il rencontra le regard du coq. Il hésita, puis sourit.

«Je puis te le dire, bien que ce soit sans importance. Quelqu'un allait mourir par ma faute. Il me semble que j'ai appelé.[2]

— Tu as promis?
20 — Non. J'aurais voulu promettre.

— Il y a longtemps?

— Peu avant de venir ici.»

Le coq prit sa barba à deux mains. Ses yeux brillaient.

«Tu es un capitaine, dit-il. Ma maison est la tienne. Et puis, tu
25 vas m'aider à tenir ma promesse, c'est comme si tu la faisais toi-même. Ça t'aidera aussi.»[3]

D'Arrast sourit: «Je ne crois pas.

— Tu es fier, Capitaine.

— J'étais fier, maintenant je suis seul. Mais dis-moi seulement,
30 ton bon Jésus t'a toujours répondu?

---

[1] *A ce soir*   See you this evening
[2] *appelé*   In a major passage in *La Peste* Camus has Rieux, his spokes-man, reply in answer to a query as to whether he believed in God: "*Non, mais qu'est-ce que cela veut dire? Je suis dans la nuit, et j'essaie d'y voir clair.*"
[3] *Ça t'aidera aussi.*   A crucial addition, as it would end D'Arrast's isolation. He is not, however, yet ready to accept this.

— Toujours, non, Capitaine!
— Alors ?»

Le coq éclata d'un rire frais et enfantin.

«Eh bien, dit-il, il est libre, non ?»

Au club, où d'Arrast déjeunait avec les notables, le maire lui dit
qu'il devait signer le livre d'or[1] de la municipalité pour qu'un
témoignage subsistât au moins du grand événement que[2] constituait
sa venue à Iguape. Le juge de son côté trouva deux ou trois nouvelles
formules pour célébrer, outre les vertus et les talents de leur hôte,
la simplicité qu'il mettait[3] à représenter parmi eux le grand pays
auquel il avait l'honneur d'appartenir. D'Arrast dit seulement qu'il
y avait cet honneur, qui certainement en était un, selon sa conviction, et qu'il y avait aussi l'avantage pour sa société d'avoir obtenu
l'adjudication de ces longs travaux. Sur quoi le juge se récria devant
tant d'humilité. «A propos, dit-il, avez-vous pensé à ce que nous
devons faire du chef de la police ?» D'Arrast le regarda en souriant.
«J'ai trouvé.» Il considérerait comme une faveur personnelle, et une
grâce très exceptionnelle, qu'on voulût bien pardonner en son nom
à cet étourdi, afin que son séjour, à lui, d'Arrast, qui se réjouissait
tant de connaître la belle ville d'Iguape et ses généreux habitants,
pût commencer dans un climat de concorde et d'amitié. Le juge,
attentif et souriant, hochait la tête. Il médita un moment la formule,
en connaisseur, s'adressa ensuite aux assistants pour leur faire applaudir les magnanimes traditions de la grande nation française et,
tourné de nouveau vers d'Arrast, se déclara satisfait. «Puisqu'il en
est ainsi, conclut-il, nous dînerons ce soir avec le chef.» Mais d'Arrast
dit qu'il était invité par des amis à la cérémonie de danses, dans les
cases. «Ah, oui! dit le juge. Je suis content que vous y alliez. Vous
verrez, on ne peut s'empêcher d'aimer notre peuple.»

Le soir, d'Arrast, le coq et son frère étaient assis autour du
feu éteint, au centre de la case que l'ingénieur avait déjà visitée le
matin. Le frère n'avait pas paru surpris de le revoir. Il parlait à peine

---

[1] *livre d'or*   guest-book
[2] *que...*   The subject is *venue*.
[3] *mettait*   (here) developed

l'espagnol et se bornait la plupart du temps à hocher la tête. Quant
au coq, il s'était intéressé aux cathédrales, puis avait longuement
disserté sur la soupe aux haricots noirs. Maintenant, le jour était
presque tombé et si d'Arrast voyait encore le coq et son frère, il
5   distinguait mal, au fond de la case, les silhouettes accroupies d'une
vieille femme et de la jeune fille qui, à nouveau, l'avait servi. En
contrebas, on entendait le fleuve monotone.

    Le coq se leva et dit: «C'est l'heure.» Ils se levèrent, mais les
femmes ne bougèrent pas. Les hommes sortirent seuls. D'Arrast
10 hésita, puis rejoignit les autres. La nuit était maintenant tombée, la
pluie avait cessé. Le ciel, d'un noir pâle, semblait encore liquide.
Dans son eau transparente et sombre, bas sur l'horizon, des étoiles
commençaient de s'allumer. Elles s'éteignaient presque aussitôt,
tombaient une à une dans le fleuve, comme si le ciel dégouttait de ses
15 dernières lumières. L'air épais sentait l'eau et la fumée. On entendait
aussi la rumeur toute proche de l'énorme forêt, pourtant immobile.
Soudain, des tambours et des chants s'élevèrent dans le lointain,
d'abord sourds puis distincts, qui se rapprochèrent de plus en plus et
qui se turent. On vit peu après apparaître une théorie[1] de filles
20 noires, vêtues de robes blanches en soie grossière, à la taille très basse.
Moulé[2] dans une casaque rouge sur laquelle pendait un collier de
dents multicolores, un grand noir les suivait et, derrière lui, en
désordre, une troupe d'hommes habillés de pyjamas blancs et des
musiciens munis de triangles et de tambours larges et courts. Le
25 coq dit qu'il fallait les accompagner.

    La case où ils parvinrent en suivant la rive à quelques centaines
de mètres des dernières cases, était grande, vide, relativement con-
fortable avec ses murs crépis à l'intérieur. Le sol était en terre battue,
le toit de chaume et de roseaux, soutenu par un mât central, les murs
30 nus. Sur un petit autel tapissé de palmes, au fond, et couvert de

----

[1] *théorie*   procession, the old Greek word, quite uncommon in this sense
in French. Camus uses it to help bring out the underlying relationship here
of all religions. The overtly Christian aspects of the celebration and the semi-
savage, pagan rites of the dance are now joined, by the use of this word, to
Greek religious practice as well.
[2] *Moulé*   The sense here is that the jacket was tight-fitting.

bougies qui éclairaient à peine la moitié de la salle, on apercevait un
superbe chromo où saint Georges, avec des airs séducteurs, prenait
avantage d'un dragon moustachu. Sous l'autel, une sorte de niche,
garnie de papiers en rocailles,[1] abritait, entre une bougie et une
écuelle d'eau, une petite statue de glaise, peinte en rouge, représentant   5
un dieu cornu. Il brandissait, la mine farouche, un couteau démesuré,
en papier d'argent.

Le coq conduisit d'Arrast dans un coin où ils restèrent debout,
collés contre la paroi, près de la porte. «Comme ça, murmura le coq,
on pourra partir sans déranger.» La case, en effet, était pleine   10
d'hommes et de femmes, serrés les uns contre les autres. Déjà la
chaleur montait. Les musiciens allèrent s'installer de part et d'autre[2]
du petit autel. Les danseurs et les danseuses se séparèrent en deux
cercles concentriques, les hommes à l'intérieur. Au centre, vint se
placer le chef noir à la casaque rouge. D'Arrast s'adossa à la paroi,   15
en croisant les bras.

Mais le chef, fendant le cercle des danseurs, vint vers eux et,
d'un air grave, dit quelques mots au coq. «Décroise les bras, Capitaine, dit le coq. Tu te serres,[3] tu empêches l'esprit du saint de
descendre.» D'Arrast laissa docilement tomber les bras. Le dos   20
toujours collé à la paroi, il ressemblait lui-même, maintenant, avec
ses membres longs et lourds, son grand visage déjà luisant de sueur,
à quelque dieu bestial et rassurant. Le grand noir le regarda puis,
satisfait, regagna sa place. Aussitôt, d'une voix claironnante, il
chanta les premières notes d'un air que tous reprirent en chœur,   25
accompagnés par les tambours. Les cercles se mirent alors à tourner
en sens inverse, dans une sorte de danse lourde et appuyée[4] qui
ressemblait plutôt à un piétinement, légèrement souligné par la
double ondulation des hanches.

La chaleur avait augmenté. Pourtant, les pauses diminuaient   30
peu à peu, les arrêts s'espaçaient et la danse se précipitait. Sans que

---

[1] *en rocailles*   in rococo (here, gaudy) style
[2] *de part et d'autre*   on either side
[3] *Tu te serres*   The physical gesture asked for suggests the psychological
change that D'Arrast must accomplish.
[4] *appuyée*   (here) insistent, emphatic

le rythme des autres se ralentît, sans cesser lui-même de danser, le grand noir fendit à nouveau les cercles pour aller vers l'autel. Il revint avec un verre d'eau et une bougie allumée qu'il ficha en terre, au centre de la case. Il versa l'eau autour de la bougie en deux
5 cercles concentriques, puis, à nouveau dressé, leva vers le toit des yeux fous. Tout son corps tendu, il attendait, immobile. « Saint Georges arrive. Regarde, regarde », souffla le coq dont les yeux s'exorbitaient.

En effet, quelques danseurs présentaient maintenant des airs
10 de transe, mais de transe figée, les mains aux reins, le pas raide, l'œil fixe et atone. D'autres précipitaient leur rythme, se convulsant sur eux-mêmes,[1] et commençaient à pousser des cris inarticulés. Les cris montèrent peu à peu et lorsqu'ils se confondirent dans un hurlement collectif, le chef, les yeux toujours levés, poussa lui-même
15 une longue clameur à peine phrasée, au sommet du souffle, et où les mêmes mots revenaient. « Tu vois, souffla le coq, il dit qu'il est le champ de bataille du dieu. » D'Arrast fut frappé du changement de sa voix et regarda le coq qui, penché en avant, les poings serrés, les yeux fixes, reproduisait sur place le piétinement rythmé des autres.
20 Il s'aperçut alors que lui-même, depuis un moment, sans déplacer les pieds pourtant, dansait de tout son poids.

Mais les tambours tout d'un coup firent rage[2] et subitement le grand diable[3] rouge se déchaîna. L'œil enflammé, les quatre membres tournoyant autour du corps, il se recevait,[4] genou plié, sur chaque
25 jambe, l'une après l'autre, accélérant son rythme à tel point qu'il semblait qu'il dût se démembrer, à la fin. Mais brusquement, il s'arrêta en plein élan, pour regarder les assistants, d'un air fier et terrible, au milieu du tonnerre des tambours. Aussitôt un danseur surgit d'un coin sombre, s'agenouilla et tendit au possédé un sabre
30 court. Le grand noir prit le sabre sans cesser de regarder autour de lui, puis le fit tournoyer au-dessus de sa tête. Au même instant,

---

[1] *se convulsant sur eux-mêmes* bending over convulsively
[2] *firent rage* went wild
[3] *diable* In French as in English this word (devil) means an evil spirit or a fellow.
[4] *se recevait* (here) landed

d'Arrast aperçut le coq qui dansait au milieu des autres. L'ingénieur
ne l'avait pas vu partir.

Dans la lumière rougeoyante, incertaine, une poussière étouf-
fante montait du sol, épaississait encore l'air qui collait à la peau.
D'Arrast sentait la fatigue le gagner peu à peu ; il respirait de plus en   5
plus mal. Il ne vit même pas comment les danseurs avaient pu se
munir des énormes cigares qu'ils fumaient à présent, sans cesser de
danser, et dont l'étrange odeur emplissait la case et le grisait un peu.
Il vit seulement le coq qui passait près de lui, toujours dansant, et
qui tirait lui aussi sur un cigare : « Ne fume pas », dit-il. Le coq grogna,   10
sans cesser de rythmer son pas,[1] fixant le mât central avec l'expression du boxeur sonné,[2] la nuque parcourue par un long et
perpétuel frisson. A ses côtés, une noire épaisse, remuant de droite
à gauche sa face animale, aboyait sans arrêt. Mais les jeunes négresses,
surtout, entraient dans la transe la plus affreuse, les pieds collés   15
au sol et le corps parcouru, des pieds à la tête, de soubresauts de
plus en plus violents à mesure qu'ils gagnaient les épaules. Leur tête
s'agitait alors d'avant en arrière, littéralement séparée d'un corps
décapité. En même temps, tous se mirent à hurler sans discontinuer,
d'un long cri collectif et incolore, sans respiration apparente, sans   20
modulations, comme si les corps se nouaient tout entiers, muscles et
nerfs, en une seule émission épuisante qui donnait enfin la parole en
chacun d'eux à un être jusque-là absolument silencieux. Et sans que
le cri cessât, les femmes, une à une, se mirent à tomber. Le chef noir
s'agenouillait près de chacune, serrait vite et convulsivement leurs   25
tempes de sa grande main aux muscles noirs. Elles se relevaient
alors, chancelantes, rentraient dans la danse et reprenaient leurs cris,
d'abord faiblement, puis de plus en plus haut et vite, pour retomber
encore, et se relever de nouveau, pour recommencer, et longtemps
encore, jusqu'à ce que le cri général faiblît, s'altérât, dégénérât en   30
une sorte de rauque aboiement qui les secouait de son hoquet.
D'Arrast, épuisé, les muscles noués par sa longue danse immobile,
étouffé par son propre mutisme, se sentit vaciller. La chaleur, la
poussière, la fumée des cigares, l'odeur humaine rendaient

---

[1] *cesser de rythmer son pas*   losing the beat
[2] *sonné*   (here) knocked out. (Camus was an excellent amateur boxer.)

maintenant l'air tout à fait irrespirable. Il chercha le coq du regard :
il avait disparu. D'Arrast se laissa glisser alors le long de la paroi et
s'accroupit, retenant une nausée.

Quand il ouvrit les yeux, l'air était toujours aussi étouffant,
5   mais le bruit avait cessé. Les tambours seuls rythmaient une basse
continue, sur laquelle dans tous les coins de la case, des groupes,
couverts d'étoffes blanchâtres, piétinaient. Mais au centre de la
pièce, maintenant débarrassé du verre et de la bougie, un groupe
de jeunes filles noires, en état semi-hypnotique, dansaient lentement,
10 toujours sur le point de se laisser dépasser par la mesure.[1] Les yeux
fermés, droites pourtant, elles se balançaient légèrement d'avant en
arrière, sur la pointe de leurs pieds, presque sur place. Deux d'entre
elles, obèses, avaient le visage recouvert d'un rideau de raphia.
Elles encadraient une autre jeune fille, costumée celle-là, grande,
15 mince, que d'Arrast reconnut soudain comme la fille de son hôte.
Vêtue d'une robe verte, elle portait un chapeau de chasseresse en
gaze bleue, relevé[2] sur le devant, garni de plumes mousquetaires,
et tenait à la main un arc vert et jaune, muni de sa flèche, au bout de
laquelle était embroché un oiseau multicolore.[3] Sur son corps gracile,
20 sa jolie tête oscillait lentement, un peu renversée, et sur le visage
endormi se reflétait une mélancolie égale et innocente. Aux arrêts
de la musique, elle chancelait, somnolente. Seul, le rythme renforcé
des tambours lui rendait une sorte de tuteur[4] invisible autour duquel
elle enroulait ses molles arabesques jusqu'à ce que, de nouveau
25 arrêtée en même temps que la musique, chancelant au bord de
l'équilibre, elle poussât un étrange cri d'oiseau, perçant et pourtant
mélodieux.

D'Arrast, fasciné par cette danse ralentie, contemplait la
Diane noire lorsque le coq surgit devant lui, son visage lisse main-
30 tenant décomposé. La bonté avait disparu de ses yeux qui ne reflé-
taient qu'une sorte d'avidité inconnue. Sans bienveillance, comme

---

[1] *se laisser... mesure*   letting the beat get ahead of them
[2] *relevé*   (here) turned up
[3] *Vêtue... multicolore.*   Her bow, arrow, and bird suggest the Greek Diana.
[4] *tuteur*   not tutor, but support or stake, as in gardening

s'il parlait à un étranger : [1] « Il est tard, Capitaine, dit-il. Ils vont danser toute la nuit, mais ils ne veulent pas que tu restes maintenant. » La tête lourde, d'Arrast se leva et suivit le coq qui gagnait la porte en longeant la paroi. Sur le seuil, le coq s'effaça, tenant la porte de bambous, et d'Arrast sortit. Il se retourna et regarda le coq qui   5
n'avait pas bougé. « Viens. Tout à l'heure, il faudra porter la pierre.

— Je reste, dit le coq d'un air fermé.

— Et ta promesse ? »

Le coq sans répondre poussa peu à peu la porte que d'Arrast retenait d'une seule main. Ils restèrent ainsi une seconde, et d'Arrast   10
céda, haussant les épaules. Il s'éloigna.

La nuit était pleine d'odeurs fraîches et aromatiques. Au-dessus de la forêt, les rares étoiles du ciel austral, estompées par une brume invisible, luisaient faiblement. L'air humide était lourd. Pourtant, il semblait d'une délicieuse fraîcheur au sortir de la case.   15
D'Arrast remontait la pente glissante, gagnait les premières cases, trébuchait comme un homme ivre dans les chemins troués. La forêt grondait un peu, toute proche. Le bruit du fleuve grandissait, le continent tout entier émergeait dans la nuit et l'écœurement envahissait d'Arrast. Il lui semblait qu'il aurait voulu vomir [2] ce   20

[1] *étranger* The return of this word, applied by le Coq to the man he had called his brother, is especially important here and in the next few paragraphs.

[2] *vomir* While Camus is not an existentialist (he preferred the term essentialist), he recognizes and faces many of the problems prominent in Existentialism, because they are in fact prominent in twentieth-century thought. Here his use of the word *vomir* (and *écœurement* above) recall Sartre's eye-catching title, *La Nausée*, which he gave to the work which first brought him to public attention. In a Sartrean framework, however, nausea is Man's feeling when he discovers that he is totally free, that there are no moral commands and Man must make his own values from what existence offers (= Existentialism). Camus is aware that Man does sometimes feel violently opposed to his fellow man. Here, nausea is the reaction; with Daru it was hatred for the Arab. But to Camus such feelings of rejection are to be overcome—since they stem from Man's isolation—by understanding so that one may come to love and so enter Man's Kingdom. This D'Arrast will do.

Notice how in the following passage the language will become even more heavily imaged : blood and seasons will fuse, time will liquefy, etc.

pays tout entier, la tristesse de ses grands espaces, la lumière glauque
des forêts, et le clapotis nocturne de ses grands fleuves déserts.
Cette terre était trop grande, le sang et les saisons s'y confondaient,
le temps se liquéfiait. La vie ici était à ras de terre et, pour s'y
5 intégrer, il fallait se coucher et dormir, pendant des années, à
même le sol boueux ou desséché. Là-bas, en Europe, c'était la honte
et la colère. Ici, l'exil ou la solitude,[1] au milieu de ces fous languis-
sants et trépidants, qui dansaient pour mourir. Mais, à travers la
nuit humide, pleine d'odeurs végétales, l'étrange cri d'oiseau blessé,
10 poussé par la belle endormie, lui parvint encore.

Quand d'Arrast, la tête barrée[2] d'une épaisse migraine, s'était
réveillé après un mauvais sommeil, une chaleur humide écrasait la
ville et la forêt immobile. Il attendait à présent sous le porche de
l'hôpital, regardant sa montre arrêtée,[3] incertain de l'heure, étonné
15 de ce grand jour[4] et du silence qui montait de la ville. Le ciel, d'un
bleu presque franc,[5] pesait au ras des premiers toits éteints. Des
urubus jaunâtres dormaient, figés par la chaleur, sur la maison qui
faisait face à l'hôpital. L'un d'eux s'ébroua tout d'un coup, ouvrit
le bec, prit ostensiblement ses dispositions pour s'envoler, claqua
20 deux fois ses ailes poussiéreuses contre son corps, s'éleva de quelques
centimètres au-dessus du toit, et retomba pour s'endormir presque
aussitôt.
    L'ingénieur descendit vers la ville. La place principale était
déserte, comme les rues qu'il venait de parcourir. Au loin, et de

---

[1] *l'exil ou la solitude* The return of the book's title with the themes of
Isolation and Exile. The suggestion of shame and anger concerning Europe
had been made in "L'Hôte" and "Les Muets." Camus, feeling himself fully
at home only in Algeria, can easily stand off from and regret the civilization
of Europe.

[2] *barrée* (here) cut across or through

[3] *montre arrêtée* In the mythic time in which the heroic deed is about
to take place, time stops or is eternal. Cf. Faulkner (whom Camus greatly
admired), *The Sound and the Fury*.

[4] *jour* daylight

[5] *bleu presque franc* almost clear blue ("*franc*" in the sense of "free
from" anything other than blue)

chaque côté du fleuve, une brume basse flottait sur la forêt. La chaleur tombait verticalement et d'Arrast chercha un coin d'ombre pour s'abriter. Il vit alors, sous l'auvent d'une des maisons, un petit homme qui lui faisait signe. De plus près, il reconnut Socrate.

«Alors, monsieur d'Arrast, tu aimes la cérémonie?» 5

D'Arrast dit qu'il faisait trop chaud dans la case et qu'il préférait le ciel et la nuit.

«Oui, dit Socrate, chez toi, c'est la messe seulement. Personne ne danse.»

Il se frottait les mains, sautait sur un pied, tournait sur lui- 10 même, riait à perdre haleine.

«Pas possibles, ils sont pas possibles.»

Puis il regarda d'Arrast avec curiosité:

«Et toi, tu vas à la messe?

— Non. 15

— Alors, où tu vas?

— Nulle part. Je ne sais pas.»

Socrate riait encore.

«Pas possible! Un seigneur sans église, sans rien!»

D'Arrast riait aussi: 20

«Oui, tu vois, je n'ai pas trouvé ma place. Alors, je suis parti.

— Reste avec nous, monsieur d'Arrast, je t'aime.

— Je voudrais bien, Socrate, mais je ne sais pas danser.»[1]

Leurs rires résonnaient dans le silence de la ville déserte.

«Ah, dit Socrate, j'oublie. Le maire veut te voir. Il déjeune au 25 club.» Et sans crier gare, il partit dans la direction de l'hôpital. «Où vas-tu?» cria d'Arrast. Socrate imita un ronflement: «Dormir. Tout à l'heure la procession.» Et courant à moitié, il reprit ses ronflements.

Le maire voulait seulement donner à d'Arrast une place

[1] *danser* An allegorical phrasing again of the dilemma of twentieth-century man's isolation. Here D'Arrast has found a place where he is loved and where he would like to find himself, to be himself; but he "does not know how to dance" as they do. The heroic task, then, akin to that of the Grail Legends, is to find and accomplish a deed adequate to atone for his rejection the previous night and therefore sufficient to make him one with them again. In so doing he will find himself and will come to full being, a Man among men.

d'honneur pour voir la procession. Il l'expliqua à l'ingénieur en lui faisant partager un plat de viande et de riz propre à miraculer[1] un paralytique. On s'installerait d'abord dans la maison du juge sur un balcon, devant l'église, pour voir sortir le cortège. On irait ensuite à 5 la mairie, dans la grande rue[2] qui menait à la place de l'église et que les pénitents emprunteraient au retour. Le juge et le chef de police accompagneraient d'Arrast, le maire étant tenu de participer à la cérémonie. Le chef de police était en effet dans la salle du club, et tournait sans trêve autour de d'Arrast, un infatigable sourire aux 10 lèvres, lui prodiguant des discours incompréhensibles, mais évidemment affectueux. Lorsque d'Arrast descendit, le chef de police se précipita pour lui ouvrir le chemin, tenant toutes les portes ouvertes devant lui.

Sous le soleil massif, dans la ville toujours vide, les deux hommes 15 se dirigeaient vers la maison du juge. Seuls, leurs pas résonnaient dans le silence. Mais, soudain, un pétard éclata dans une rue proche et fit s'envoler sur toutes les maisons, en gerbes[3] lourdes et embarrassées, les urubus au cou pelé. Presque aussitôt des dizaines de pétards éclatèrent dans toutes les directions, les portes s'ouvrirent 20 et les gens commencèrent de sortir des maisons pour remplir les rues étroites.

Le juge exprima à d'Arrast la fierté qui était la sienne de l'accueillir dans son indigne maison et lui fit gravir un étage d'un bel escalier baroque peint à la chaux bleue. Sur le palier, au passage de 25 d'Arrast, des portes s'ouvrirent d'où surgissaient des têtes brunes d'enfants qui disparaissaient ensuite avec des rires étouffés. La pièce d'honneur, belle d'architecture, ne contenait que des meubles de rotin et de grandes cages d'oiseaux au jacassement étourdissant. Le balcon où ils s'installèrent donnait sur la petite place devant 30 l'église. La foule commençait maintenant de la remplir, étrangement silencieuse, immobile sous la chaleur qui descendait du ciel en flots presque visibles. Seuls, des enfants couraient autour de la

---

[1] *miraculer*   to work a miracle upon; the word, used here half-ironically, still serves to reinforce the mythic, miraculous atmosphere.
[2] *grande rue*   main street
[3] *gerbes*   (literally) sheaves; (here) flocks

place s'arrêtant brusquement pour allumer les pétards dont les détonations se succédaient. Vue du balcon, l'église, avec ses murs crépis, sa dizaine de marches peintes à la chaux bleue, ses deux tours bleues et or, paraissait plus petite.

Tout d'un coup, des orgues éclatèrent à l'intérieur de l'église. La foule, tournée vers le porche, se rangea sur les côtés de la place. Les hommes se découvrirent,[1] les femmes s'agenouillèrent. Les orgues lointaines jouèrent, longuement, des sortes de marches. Puis un étrange bruit d'élytres vint de la forêt. Un minuscule avion aux ailes transparentes et à la frêle carcasse, insolite dans ce monde sans âge, surgit au-dessus des arbres, descendit un peu vers la place, et passa, avec un grondement de grosse crécelle, au-dessus des têtes levées vers lui. L'avion vira ensuite et s'éloigna vers l'estuaire.

Mais, dans l'ombre de l'église, un obscur remue-ménage attirait de nouveau l'attention. Les orgues s'étaient tues, relayées maintenant par des cuivres et des tambours, invisibles sous le porche. Des pénitents, recouverts de surplis noirs, sortirent un à un de l'église, se groupèrent sur le parvis,[2] puis commencèrent de descendre les marches. Derrière eux venaient des pénitents blancs portant des bannières rouges et bleues, puis une petite troupe de garçons costumés en anges, des confréries d'enfants de Marie, aux petits visages noirs et graves, et enfin, sur une châsse multicolore, portée par des notables suants dans leurs complets sombres, l'effigie du bon Jésus lui-même, roseau en main, la tête couverte d'épines, saignant et chancelant au-dessus de la foule qui garnissait les degrés du parvis.

Quand la châsse fut arrivée au bas des marches, il y eut un temps d'arrêt pendant lequel les pénitents essayèrent de se ranger dans un semblant d'ordre. C'est alors que d'Arrast vit le coq. Il venait de déboucher sur le parvis, torse nu, et portait sur sa tête barbue un énorme bloc rectangulaire qui reposait sur une plaque de liège à même le crâne. Il descendit d'un pas ferme les marches de l'église, la pierre exactement équilibrée dans l'arceau de ses bras

[1] *se découvrirent*   took off their hats
[2] *parvis*   space in front of a church (the word "parvis" exists in English but is rarely used.)

courts et musclés. Dès qu'il fut parvenu derrière la châsse, la procession s'ébranla. Du porche surgirent alors les musiciens, vêtus de
vestes aux couleurs vives et s'époumonant dans des cuivres enru-
bannés. Aux accents d'un pas redoublé,[1] les pénitents accélérèrent
5 leur allure et gagnèrent l'une des rues qui donnaient sur la place.
Quand la châsse eut disparu à leur suite, on ne vit plus que le coq
et les derniers musiciens. Derrière eux, la foule s'ébranla, au milieu
des détonations, tandis que l'avion, dans un grand ferraillement de
pistons, revenait au-dessus des derniers groupes. D'Arrast regardait
10 seulement le coq qui disparaissait maintenant dans la rue et dont
il lui semblait soudain que les épaules fléchissaient. Mais à cette
distance, il voyait mal.

Par les rues vides, entre les magasins fermés et les portes closes,
le juge, le chef de police et d'Arrast gagnèrent alors la mairie. A
15 mesure qu'ils s'éloignaient de la fanfare et des détonations, le silence
reprenait possession de la ville et, déjà, quelques urubus revenaient
prendre sur les toits la place qu'ils semblaient occuper depuis
toujours. La mairie donnait sur une rue étroite, mais longue, qui
menait d'un des quartiers extérieurs à la place de l'église. Elle était
20 vide pour le moment. Du balcon de la mairie, à perte de vue, on
n'apercevait qu'une chaussée défoncée, où la pluie récente avait
laissé quelques flaques. Le soleil, maintenant un peu descendu,
rongeait encore, de l'autre côté de la rue, les façades aveugles[2] des
maisons.

25 Ils attendirent longtemps, si longtemps que d'Arrast, à force de
regarder la réverbération du soleil sur le mur d'en face, sentit à
nouveau revenir sa fatigue et son vertige. La rue vide, aux maisons
désertes, l'attirait et l'écœurait à la fois. A nouveau, il voulait fuir
ce pays, il pensait en même temps à cette pierre énorme, il aurait
30 voulu que cette épreuve fût finie. Il allait proposer de descendre
pour aller aux nouvelles lorsque les cloches de l'église se mirent à
sonner à toute volée. Au même instant, à l'autre extrémité de la rue,
sur leur gauche, un tumulte éclata et une foule en ébullition apparut.

[1] *Aux... redoublé* To the beat of a quick march
[2] *aveugles* (here) windowless

De loin, on la voyait agglutinée autour de la châsse, pèlerins et
pénitents mêlés, et ils avançaient, au milieu des pétards et des hurle-
ments de joie, le long de la rue étroite. En quelques secondes, ils
la remplirent jusqu'aux bords, avançant vers la mairie, dans un
désordre indescriptible, les âges, les races et les costumes fondus   5
en une masse bariolée, couverte d'yeux et de bouches vociférantes,
et d'où sortaient, comme des lances, une armée de cierges dont la
flamme s'évaporait dans la lumière ardente du jour. Mais quand ils
furent proches et que la foule, sous le balcon, sembla monter le long
des parois, tant elle était dense, d'Arrast vit que le coq n'était pas là.   10
    D'un seul mouvement, sans s'excuser, il quitta le balcon et la
pièce, dévala l'escalier et se trouva dans la rue, sous le tonnerre des
cloches et des pétards. Là, il dut lutter contre la foule joyeuse, les
porteurs de cierges, les pénitents offusqués. Mais irrésistiblement,
remontant de tout son poids la marée humaine, il s'ouvrit un chemin,   15
d'un mouvement si emporté, qu'il chancela et faillit tomber lorsqu'il se retrouva libre, derrière la foule, à l'extrémité de la rue. Collé
contre le mur brûlant, il attendit que la respiration lui revînt. Puis
il reprit sa marche. Au même moment, un groupe d'hommes
déboucha dans la rue. Les premiers marchaient à reculons, et   20
d'Arrast vit qu'ils entouraient le coq.
    Celui-ci était visiblement exténué. Il s'arrêtait, puis, courbé
sous l'énorme pierre, il courait un peu, du pas pressé des débar-
deurs et des coolies, le petit trot de la misère, rapide, le pied frappant le sol de toute sa plante. Autour de lui, des pénitents aux   25
surplis salis de cire fondue et de poussière l'encourageaient quand
il s'arrêtait. A sa gauche, son frère marchait ou courait en silence.
Il sembla à d'Arrast qu'ils mettaient un temps interminable à
parcourir l'espace qui les séparait de lui. A peu près à sa hauteur,[1] le
coq s'arrêta de nouveau et jeta autour de lui des regards éteints.   30
Quand il vit d'Arrast, sans paraître pourtant le reconnaître, il
s'immobilisa, tourné vers lui. Une sueur huileuse et sale couvrait
son visage maintenant gris, sa barbe était pleine de filets de salive,
une mousse brune et sèche cimentait ses lèvres. Il essaya de sourire.

----

[1] *à sa hauteur*   level with him, as far up the street as he was

Mais, immobile sous sa charge, il tremblait de tout son corps, sauf
à la hauteur des épaules où les muscles étaient visiblement noués
dans une sorte de crampe. Le frère, qui avait reconnu d'Arrast, lui
dit seulement: «Il est déjà tombé.» Et Socrate, surgi il ne savait d'où,
5 vint lui glisser à l'oreille: «Trop danser, monsieur d'Arrast, toute
la nuit Il est fatigué.»

Le coq avança de nouveau, de son trot saccadé, non comme
quelqu'un qui veut progresser mais comme s'il fuyait la charge qui
l'écrasait, comme s'il espérait l'alléger par le mouvement. D'Arrast
10 se trouva, sans qu'il sût comment, à sa droite. Il posa sur le dos du
coq une main devenue légère et marcha près de lui, à petits pas
pressés et pesants. A l'autre extrémité de la rue, la châsse avait
disparu, et la foule, qui, sans doute, emplissait maintenant la place,
ne semblait plus avancer. Pendant quelques secondes, le coq,
15 encadré par son frère et d'Arrast, gagna du terrain. Bientôt, une
vingtaine de mètres seulement le séparèrent du groupe qui s'était
massé devant la mairie pour le voir passer. A nouveau, pourtant, il
s'arrêta. La main de d'Arrast se fit plus lourde. «Allez, coq, dit-il,
encore un peu.» L'autre tremblait, la salive se remettait à couler de
20 sa bouche tandis que, sur tout son corps, la sueur jaillissait littéralement. Il prit une respiration qu'il voulait profonde et s'arrêta court.
Il s'ébranla encore, fit trois pas, vacilla. Et soudain la pierre glissa
sur son épaule, qu'elle entailla, puis en avant jusqu'à terre, tandis
que le coq, déséquilibré, s'écroulait sur le côté. Ceux qui le précé-
25 daient en l'encourageant sautèrent en arrière avec de grands cris,
l'un d'eux se saisit de la plaque de liège pendant que les autres
empoignaient la pierre pour en charger à nouveau le coq.

D'Arrast, penché sur celui-ci, nettoyait de sa main l'épaule
souillée de sang et de poussière, pendant que le petit homme, la
30 face collée à terre, haletait. Il n'entendait rien, ne bougeait plus.
Sa bouche s'ouvrait avidement sur chaque respiration, comme si
elle était la dernière. D'Arrast le pris à bras-le-corps et le souleva
aussi facilement que s'il s'agissait d'un enfant. Il le tenait debout,
serré contre lui. Penché de toute sa taille, il lui parlait dans le visage,
35 comme pour lui insuffler sa force. L'autre, au bout d'un moment,
sanglant et terreux, se détacha de lui, une expression hagarde sur le

visage. Chancelant, il se dirigea de nouveau vers la pierre que les
autres soulevaient un peu. Mais il s'arrêta; il regardait la pierre d'un
regard vide, et secouait la tête. Puis il laissa tomber ses bras le long
de son corps et se tourna vers d'Arrast. D'énormes larmes coulaient
silencieusement sur son visage ruiné. Il voulait parler, il parlait,   5
mais sa bouche formait à peine les syllabes. «J'ai promis», disait-il.
Et puis: «Ah! Capitaine. Ah! Capitaine!» et les larmes noyèrent sa
voix. Son frère surgit dans son dos, l'étreignit, et le coq, en pleurant,
se laissa aller contre lui, vaincu, la tête renversée.

D'Arrast le regardait, sans trouver ses mots.[1] Il se tourna vers   10
la foule, au loin, qui criait à nouveau. Soudain, il arracha la plaque
de liège des mains qui la tenaient et marcha vers la pierre. Il fit
signe aux autres de l'élever et la chargea presque sans effort.
Légèrement tassé sous le poids de la pierre, les épaules ramassées,
soufflant un peu, il regardait à ses pieds, écoutant les sanglots du   15
coq. Puis il s'ébranla à son tour d'un pas puissant, parcourut sans
faiblir l'espace qui le séparait de la foule, à l'extrémité de la rue, et
fendit avec décision les premiers rangs qui s'écartèrent devant lui.
Il entra sur la place, dans le vacarme des cloches et des détonations,
mais entre deux haies de spectateurs qui le regardaient avec étonne-   20
ment, soudain silencieux. Il avançait, du même pas emporté, et la
foule lui ouvrait un chemin jusqu'à l'église. Malgré le poids qui
commençait de lui broyer la tête et la nuque, il vit l'église et la
châsse qui semblait l'attendre sur le parvis. Il marchait vers elle et
avait déjà dépassé le centre de la place quand brutalement, sans   25
savoir pourquoi il obliqua vers la gauche, et se détourna du chemin
de l'église, obligeant les pèlerins à lui faire face. Derrière lui, il
entendait des pas précipités. Devant lui, s'ouvraient de toutes parts
des bouches. Il ne comprenait pas ce qu'elles lui criaient, bien qu'il
lui semblât reconnaître le mot portugais qu'on lui lançait sans arrêt.   30
Soudain, Socrate apparut devant lui, roulant des yeux effarés,

---

[1] *sans trouver ses mots*   Part of Man's isolation is his inability to find
the right words in moments of anguish or for the consolation of others.
Yvars, in "Les Muets" had been paralyzed by it, as had earlier characters
in *L'Etranger* and *La Peste*. D'Arrast will resolve it by action, more adequate
here than words.

parlant sans suite[1] et lui montrant, derrière lui, le chemin de l'église. «A l'église, à l'église», c'était là ce que criaient Socrate et la foule. D'Arrast continua pourtant sur sa lancée. Et Socrate s'écarta, les bras comiquement levés au ciel, pendant que la foule peu à peu se taisait. Quand d'Arrast entra dans la première rue, qu'il avait déjà prise avec le coq, et dont il savait qu'elle menait aux quartiers du fleuve, la place n'était plus qu'une rumeur confuse derrière lui.

La pierre, maintenant, pesait douloureusement sur son crâne et il avait besoin de toute la force de ses grands bras pour l'alléger. Ses épaules se nouaient déjà quand il atteignit les premières rues, dont la pente était glissante. Il s'arrêta, tendit l'oreille. Il était seul. Il assura la pierre sur son support de liège et descendit d'un pas prudent, mais encore ferme, jusqu'au quartier des cases. Quand il y arriva, la respiration commençait de lui manquer, ses bras tremblaient autour de la pierre. Il pressa le pas, parvint enfin sur la petite place où se dressait la case du coq, courut à elle, ouvrit la porte d'un coup de pied et, d'un seul mouvement, jeta la pierre au centre de la pièce, sur le feu qui rougeoyait encore. Et là, redressant toute sa taille, énorme soudain, aspirant à goulées désespérées l'odeur de misère et de cendres qu'il reconnaissait, il écouta monter en lui le flot d'une joie obscure et haletante qu'il ne pouvait pas nommer.

Quand les habitants de la case arrivèrent, ils trouvèrent d'Arrast debout, adossé au mur du fond, les yeux fermés. Au centre de la pièce à la place du foyer, la pierre était à demi enfouie, recouverte de cendres et de terre. Ils se tenaient sur le seuil sans avancer et regardaient d'Arrast en silence comme s'ils l'interrogeaient. Mais il se taisait. Alors, le frère conduisit près de la pierre le coq qui se laissa tomber à terre. Il s'assit, lui aussi, faisant un signe aux autres. La vieille femme le rejoignit, puis la jeune fille de la nuit, mais personne ne regardait d'Arrast. Ils étaient accroupis en rond autour de la pierre, silencieux. Seule, la rumeur du fleuve montait jusqu'à eux à travers l'air lourd. D'Arrast, debout dans l'ombre, écoutait, sans rien voir, et le bruit des eaux l'emplissait d'un bonheur tumultueux. Les yeux fermés, il saluait joyeusement sa propre force, il

---

[1] *sans suite*   without (logical) succession, incoherently

saluait, une fois de plus, la vie qui recommençait. Au même instant, une détonation éclata qui semblait toute proche. Le frère s'écarta un peu du coq et se tournant à demi vers d'Arrast, sans le regarder, lui montra la place vide: «Assieds-toi avec nous.»

questions et sujets à développer

1. Pourquoi Camus a-t-il choisi ce décor?
2. Quelle impression Camus veut-il donner de d'Arrast dès le début du récit? (pp. 109–110)
3. Pourquoi Camus raconte-t-il si longuement l'arrivée du radeau? (pp. 110–111)
4. Comment Camus suggère-t-il le danger et le mystère de ces eaux turbulentes? (pp. 110–113)
5. Quel est l'effet, sur le lecteur, du français peu grammatical de Socrate? (p. 113)
6. Pourquoi Camus l'appelle-t-il Socrate?
7. Quel est le rôle de l'arrêt à Registro? (p. 114)
8. Pourquoi le nom de l'hôpital est-il ironique? (p. 115)
9. Quelle est votre impression du juge dès sa première apparition? (pp. 115–116)
10. Développez les suggestions symboliques de l'épisode du passeport: le passeport du bienfaiteur que le chef de police trouve ne pas être en règle, le rôle du juge envers le chef de police, la punition qu'on exige, le refus de d'Arrast. (pp. 117–118)
11. Pourquoi ne veut-on pas que d'Arrast visite les cases des pauvres? (pp. 118–119)
12. Pourquoi est-ce plus efficace de faire raconter le miracle par Socrate que, par exemple, par le juge? (pp. 121–122)
13. Pourquoi Camus souligne-t-il ici l'attente de d'Arrast? (p. 122)
14. Indiquez l'ironie des questions posées a d'Arrast par le coq. (p. 123)
15. Pourquoi est-ce que "le visage du coq se durcit tout d'un coup"? (p. 124)
16. Commentez les differents éléments de la fête qui attirent le coq: "les cigares, les saints, les femmes. On oublie tout, on n'obéit plus." (p. 125)
17. Pourquoi est-ce que d'Arrast, bien qu'agacé, accepte d'aider le coq? (p. 125)
18. Quel est le rapport entre le coq et le souvenir de la jeune fille qui a présenté à d'Arrast l'offrande de bienvenue? (p. 125)

144

19. Pourquoi d'Arrast dit-il seulement "Si tu veux," et "J'aurais voulu promettre"? (p. 126)

20. Commentez la remarque au sujet de Jésus: "Il est libre, non?" (p. 127)

21. Soulignez le mélange de fétichisme, de superstition, et de religion dans le récit. (pp. 128 et suivantes)

22. Quelles sont les réactions successives de d'Arrast en regardant les danseurs? (pp. 129 et suivantes)

23. Comment se fait-il que d'Arrast "sans déplacer les pieds pourtant, dansait de tout son poids"? (p. 130)

24. Pourquoi Camus suggère-t-il que la jeune fille est Diane? (p. 132)

25. Pourquoi ne veut-on pas que d'Arrast reste à la danse? (p. 133)

26. Que signifie le paragraphe symbolique qui commence "La nuit était pleine..."? (pp. 133–134)

27. Pourquoi Camus décrit-t-il ici l'urubus qui n'arrive pas à s'envoler? (p. 134)

28. Commentez la phrase de Socrate: "Oui, chez toi, c'est la messe seulement. Personne ne danse." (p. 135)

29. Pourquoi le chef de police montre-t-il tant de soins à d'Arrast? (p. 136)

30. A quelle fin Camus fait-il intervenir l'avion? (pp. 137–138)

31. Comment Camus indique-t-il la fatigue du coq? (pp. 139–140)

32. Pourquoi d'Arrast prend-il la pierre lui-même? (p. 141)

33. Pourquoi d'Arrast "sans savoir pourquoi," emporte-t-il la pierre à la case du coq? (p. 141)

34. Soulignez tout ce qui contribue au mystère et à la puissance des deux derniers paragraphes du récit. (p. 142–143)

35. Montrez que Camus a choisi d'Arrast pour symboliser le Christ.

36. Commentez le rôle symbolique de l'eau sous ses différentes formes (pluie, fleuve, mer, etc.) dans cette histoire.

37. Expliquez la fatigue et le dégoût de d'Arrast.

38. Racontez l'histoire du point de vue du coq.

39. Comparez Daru et d'Arrast.

vocabulary

vocabulary

The vocabulary contains all the words in the text with the following exceptions:

1. Articles, cardinal numerals, and the more common pronominal forms.
2. Adverbs formed regularly by adding **-ment** to the feminine form of the adjective and translated by a corresponding *-ly* form in English are not listed if the adjective occurs.
3. Reflexive forms of verbs are not listed when the meaning can be derived from the form given.
4. Regular feminines and plurals are not shown. Irregular ones are always indicated.
5. Obvious cognates are not listed when the English word is thoroughly familiar and would provide a suitable translation in context. Where another word would be more acceptable, the French and English cognates are given and further suggested renderings are provided.
6. French present and past participial forms used as adjectives without change in meaning in English are not listed if the infinitive in question is given. To assist the student, infinitives whose participles are irregular have these forms listed with the infinitive. When the English form would not be the corresponding participle (e.g. *glissant*: slippery), the word is listed separately.
7. Words translated in footnotes are omitted unless they recur later or the footnoted translation is an unusual one; in the latter case the usual rendering is given in the vocabulary.

A

à to, at, in, with, of, for, by, on

abaisser to lower

abandon *m.* abandon, abandonment, neglect

abandonner to abandon, surrender

abattre to knock down; **s'—** to come down, crash down

aboiement *m.* barking

(d')abord at first; to begin with, first

aborder to reach; tackle; approach

aboyer to bark

abréger to abridge, shorten

abri *m.* shelter; **à l'—** sheltered, protected, safe

abriter to shelter, protect, harbor

abrupt abrupt, steep

absolu absolute

absorbé absorbed, lost in thought

accélérateur *m.* accelerator, throttle

accent *m.* accent, beat

accentuer to accentuate, emphasize

accompagner to accompany

accord *m.* accord, agreement; **d'—** at peace, in harmony, in agreement

accorder to harmonize

accoucher to give birth

accourir to rush up, hasten

accrocher to hang; hook, catch; **s'—** to cling

(s')accroupir to crouch, squat down

accueillir to welcome, greet

accumuler to accumulate

acharné strenuous

achat *m.* purchase; buying

acheter to buy

acti-f, -ve active

actualité *f.* actuality; topic of the hour; timeliness

actuel, -le actual; of current interest, topical; present

adieu, -x *m.* good-by

adjudication *f.* awarding of a contract

admettre (admettant, admis) to admit; agree, allow

adossé leaning (one's back against)

adosser to lean (one's back against)

(s')adresser to address, speak

adultère adulterous; **—** *m.* adultery

affaire *f.* affair; *pl.* business

affaissé weighed down, sunk down

affecter to affect, adopt

affectueu-x, -se affectionate, warm

afficher to post, display

affluer to throng around

affolement *m.* panic

affreu-x, -se awful

affront *m.* affront, insult

affûter to prepare

afin de in order to

agacé irritated, annoyed

agacement *m.* annoyance, irritation

âgé aged

(s')agenouiller to kneel

agglutiné swarming, clustered

agir to act; **s'— de** to be a question of

agiter to agitate; **s'—** to stir about, be agitated, restless, uneasy

agrandir to enlarge

agrippé gripping, clasping
aide *f.* aid, help; **en —** to the help
aider to help, aid
aigre bitter
aigrir to embitter
aiguille *f.* needle; aiguille, sharp peak
aile *f.* wing
ailleurs elsewhere; **d'—** moreover
aimable amiable, friendly
aimer to love, like; **s'—** to love each other; make love
aîné older, elder; oldest, eldest
ainsi thus
air *m.* air; appearance; **avoir l'—** to seem, look like, appear
aise *f.* ease; luxury; **à l'—** at ease
ajouter to add
ajuster to adjust, fit, arrange
alcool *m.* alcohol
alentours *m. pl.* surroundings
alerte *f.* alert; **en —** on the alert
aligner to align, line up
allée *f.* going; walk
alléger to lighten
aller to go; **— aux nouvelles** to go for news; **— bien** to be well; **s'en —** to go away, leave; **Ça va?** How are things going? **ça va** O.K.
allongé *m.* bed patient; patient confined to bed or sofa
allumer to light
allure *f.* gait, pace, walk; **à toute —** very rapidly
aloès *m.* aloe
alors then, next; **—?** Well then? **— que** whereas
alourdir to make heavy, dull; **s'—** to become heavy, get heavy

altérer to alter
amarre *f.* mooring, cable
amas *m.* heap, pile
amasser to gather
amener to lead, bring
am-er, -ère bitter
amertume *f.* bitterness
ami *m.* friend
amitié *f.* friendship
amoncellement *m.* heap
amont *m.* upstream
amour *m.* love
ample ample, full, flowing
ampoule *f.* bulb
an *m.* year
ancien, -ne ancient, old; former
ange *m.* angel
Angleterre *f.* England
angoisse *f.* anguish, anxiety
anisé based on anise
anisette *f.* anisette (a licorice-flavored drink)
année *f.* year; **la nouvelle —** New Year
annexer to annex, join
anxieu-x, -se anxious, worried
apaisement *m.* appeasement; calming
apaiser to appease, pacify; **s'—** to grow peaceful, calm
apercevoir (apercevant, aperçu) to perceive, notice; **s'— de** to be aware of
apeuré frightened
apitoyé pitying, commiserating
aplati flattened, flat
apparaître (apparaissant, apparu) to appear
apparat *m.* pomp, display
appareil *m.* apparatus; fixture; instrument
apparemment apparently

apparition *f.* appearance
appartenir (appartenant, appartenu) to belong
appel *m.* call, calling out
appeler to call
appentis *m.* lean-to
applaudir to applaud
appliqué applied; studious
apporter to bring
apprendre (apprenant, appris) to learn
apprenti *m.* apprentice
apprentissage *m.* apprenticeship
approuver to approve
approvisionner to supply
appui *m.* support
appuyer to lean, press
après after
après-midi *m.* afternoon
aquilin aquiline, eagle-like
arabe Arab, Arabic
arabesque *f.* arabesque (*ballet dance step*)
arbitrage *m.* arbitration
arbre *m.* tree
arc *m.* bow
arc-bouter to buttress; **s'—** to lean oneself (against)
arceau, -x *m.* arch
ardent ardent, burning
ardeur *f.* ardor, enthusiasm
argent *m.* silver; money
argile *f.* clay
arme *f.* arm, weapon
armoire *f.* cupboard, closet
armure *f.* armor
aromatique aromatic, scented
arracher to tear, snatch; **— à** to tear from
arranger to arrange, fix up
arrêt *m.* stop; pause; **aux —s** under arrest; **sans —** without stopping, steadily

arrêter to stop
arrière behind, backward, back
arrivée *f.* arrival
arriver to arrive; happen; succeed
arrogance *f.* arrogance, pride
arrondissement *m.* arrondissement (*small administrative section of a city*), ward
arroser to sprinkle, wet down
artisanat *m.* trades; handicraft
artiste artistic; **—** *m.* artist
aspiration *f.* aspiration; intake of breath
aspirer to breathe in, suck in
assemblage *m.* assembly, assortment
asseoir (asseyant, assis) to seat; **s'—** to sit, be sitting, seat oneself
assez enough; rather, fairly
assidu assiduous, diligent
assiduité *f.* assiduity, care, attention
assiégé besieged, importuned
assiette *f.* plate
assimiler to assimilate, digest
assis seated, sitting
assistance *f.* audience, company, those present
assistant *m.* assistant; **—s** *m. pl.* those present
assombrir to darken
assourdi muffled, muted
assurer to assure, insure; settle
atelier *m.* shop; studio
atone dull, expressionless
attache *f.* attachment; fastening
attaque *f.* attack
(s')attarder to linger; **— à** to linger over
atteindre (atteignant, atteint) to attain, reach; strike

attenant adjoining

attendre to wait for, expect; **en attendant** meanwhile; **— que** to wait until

(s')attendrir to become touched, moved

attendrissement *m.* tenderness, emotion

attente *f.* expectation; wait; period of waiting

atterrir to land

attirer to attract

attribuer to attribute, assign

attrister to sadden

aube *f.* dawn

aucun none, not any, no

au-dedans inside, within

au-dehors outside

au-delà (de) beyond

au-dessous (de) below, beneath

au-dessus (de) above

augmentation *f.* increase

augmenter to augment, increase

aujourd'hui today

auparavant in advance, beforehand; before

auprès nearby; **— de** near to, beside

aussi also, too; so; therefore; **— (grand) que** as (big) as; **— bien** also

aussitôt immediately, at once; as soon (as)

austr-al, -aux austral, southern

autant as many, as much; **d'— plus que** the more so because; **d'— plus... que** the more ... in that, all the more ... because

autel *m.* altar

auteur *m.* author

autocar *m.* bus

autorisation *f.* authorization, permission

autour around

autre other, else; **un —** another; **les unes des —s** from one another

autrefois formerly

autrement otherwise

auvent *m.* overhang (of a roof)

aval *m.* downstream

avaler to swallow

(d')avance in advance, beforehand

avancer to advance

avant before; **— m.** front; **en — forward**

avantage *m.* advantage

avare stingy, miserly, avaricious

avec with

avenant attractive

avenir *m.* future

aventure *f.* adventure; **d'—** by chance

avertissement *m.* warning

avertisseur *m.* automobile horn

aveuglant blinding

aveugle blind; windowless; **— m.** blind man

avide avid, greedy

avidité *f.* avidity, greediness

avion *m.* airplane

avis *m.* opinion; warning

avoir (ayant, eu) to have; **— l'air** to seem, look like, appear; **— beau** to do (something) in vain; **— besoin** to need; **— bonne mine** to look well; **— faim** to be hungry; **— froid** to be cold; **— honte** to be ashamed; **— peur** to be afraid; **— raison** to be right; **n'— que faire de** to have no use for; **y — (il y a)** to be (there is)

avouer to admit, avow

B

bac *m.* ferry
badigeonner to whitewash, paint
baie *f.* bay
baisser to lower; decline; **se —** to lean down, bend down
balance *f.* scales
balancer to balance; **se —** to teeter, rock, sway
balcon *m.* balcony
ballonné bulging, ballooning out
ballot *m.* pack, bundle
bambou *m.* bamboo
ban-al, -aux banal, dull
bananier *m.* banana tree
banc *m.* bench
bannière *f.* banner
banquette *f.* bench, seat
baraque *f.* hut, hovel
barbe *f.* beard
barbu bearded
baril *m.* barrel
bariolé many-colored
baroque baroque
barré barred, crossed out
bas, -se low; **—** *m.* bottom; **—se** *f.* base (*voice*); **—se continue** *f.* basso continuo, continuous base
basané tanned
bataille *f.* battle
bateau, -x *m.* boat, ship
bâtiment *m.* building
bâtir to build
bâton *m.* stick, cane
battre to beat; **— les paupières** to blink; **se —** to fight
bavard talkative
bavarder to chat

beau, bel, belle, beaux handsome, beautiful; fine; **avoir —** to do (something) in vain; **de plus belle** better than ever, more than before
beaucoup much, a great deal; **de —** by far
bébé *m.* baby
bec *m.* beak
beige beige, tan
belette *f.* weasel
bénéfice *m.* benefit, profit
béni blessed
berger *m.* shepherd
besoin *m.* need; **avoir —** to need
besti-al, -aux bestial, animal-like
bête stupid; **—** *f.* beast, animal
bêtise *f.* stupid thing
bidon *m.* metal can
bien well; very; **— que** although; **— sûr** of course, certainly; **aussi —** also; **ou —** or else
bienfaisant beneficent; bountiful, kind; salutary
bientôt soon
bienveillance *f.* kindness, kindliness
bienveillant benevolent, kindly
bienvenue *f.* welcome
bifteck *m.* beefsteak
bigarré many-colored
bis light grey-brown; **toile —e** unbleached linen
biscotte *f.* rusk (*sort of toast*)
blanc, -he white; blank; **bois —** unpainted wood
blanchâtre whitish
blanchi white, whitened
blé *m.* wheat
blesser to hurt, wound

bleu blue; — marine navy blue
bleuir to blue, make blue
bloc *m.* block
(se) blottir to nestle
boire (buvant, bu) to drink
bois *m.* wood; — blanc unpainted wood; de — wooden
boîte *f.* box; — à surprises jack-in-the-box
boiter to limp
boiterie *f.* limping, lameness
bol *m.* bowl
bon, -ne good; kindly
bondé packed, full
bondir to bound, leap
bonheur *m.* happiness
bonhomie *f.* goodheartedness, kindliness
bonjour *m.* goodday, hello
bonsoir *m.* good evening, goodby
bonté *f.* goodness; kindliness
bord *m.* edge; à — on board; au — de on the edge of; tableau de — instrument panel, dashboard
bordé bordered
bordelaise *f.* huge cask
bordure *f.* edge, border
borner to limit
bosquet *m.* clump, grove
botte *f.* boot
bouche *f.* mouth
bouchée *f.* mouthful
boucher to block
boucler to buckle; lock
bouder to sulk, pout
boudeu-r, -se pouting
boudin *m.* sausage
boue *f.* mud
boueu-x, -se muddy
bouger to move

bougie *f.* candle
bougre *m.* guy
bouillir (bouillant, bouilli) to boil
bouilloire *f.* kettle
bouleversé upset, overwhelmed
bouquet *m.* bouquet; clump, cluster
bourdonner to buzz, hum
bout *m.* end; small piece, morsel; à — de, au — de at the end of
bouteille *f.* bottle
boutique *f.* shop, store
bouton *m.* button
boxeur *m.* boxer
branchage *m.* branches
brandir to brandish, flourish
bras *m.* arm; à — -le-corps around the waist
br-ef, -ève brief, short; — *adv.* in short
brésilien, -ne Brazilian
bricoler to putter, do odd jobs
bride *f.* bridle
briller to shine
bringuebalant wobbly
brodé embroidered
broncher to stumble
bronzé bronzed; tanned
brouillard *m.* fog
brouiller to confuse, muddle
broyer to crush, mash
bruire (bruissant) to rustle
bruit *m.* noise
brûler to burn, tan
brûlure *f.* burn, burning
brume *f.* fog, haze
brun brown; dark
brusque brusque, sudden
bruyant noisy
buanderie *f.* wash house, laundry

buée *f.* mist, moisture
bulle *f.* bubble
bureau *m.* bureau, office; desk
burnous *m.* Arab cloak, burn-
ouse
but *m.* aim, goal
butagaz *m.* brand of canned gas
for cooking
(se) buter to grow stubborn,
obstinate

C

ça (=cela) that, this; — **va?**
How goes it? O.K.?; — **va.**
O.K., all right; **comme —**
this way, that way
cabinet *m.* small room, cabinet,
study; hall
cabotage *m.* coastal trade
Cachemire *m.* Cashmere, Kash-
mir (*Indian state*)
cacher to hide
cachou *m.* cachou (*aromatic
pastille used to sweeten the
breath*)
cadeau, -x *m.* gift
cadre *m.* frame, setting
café *m.* café; coffee
caillou, -x *m.* pebble, rock, stone
caisse *f.* case, box
calamiteu-x, -se calamitous;
wretched
calcaire of limestone
calciné calcinated, burned to
ashes
califourchon *m.* hobbyhorse; **à**
— astride, straddling
calotte *f.* skullcap; dome
camarade *m.* comrade
camion-citerne *m.* tank truck
camionnette *f.* small truck

camoufler to camouflage
camp *m.* camp; **lit de —** folding bed
campagne *f.* country
cancre *m.* stupid schoolboy
canne *f.* cane; sugar cane
canot *m.* boat
cantine *f.* cantine; small trunk
cantonade *f.* wing (*of a stage
set*)
capacité *f.* capacity, power
capitaine *m.* captain
capot *m.* hood
caprice *m.* caprice; fancy
capuchon *m.* hood
car *m.* bus
caractère *m.* character; letter
carcasse *f.* carcass; framework
carnet *m.* notebook; document
carré square
carte *f.* card
cas *m.* case; **en tout —** in any
case
casaque *f.* cassock; jacket, coat
case *f.* hut
casse-croûte *m.* snack
casser to break
casserole *f.* casserole, pot
cataclysmique cataclysmic, very
violent
catégorique categorical
cause *f.* cause; **à — de** because
of
cavalier *m.* rider
ceci this
céder to cede, give in
cela that, this
celui (celle, ceux, celles) this
one, that one, the one; this, that;
these, those, the ones; **— -ci**
this, *etc*; the latter; **— -là**
that, *etc*; the former
cendre *f.* ash

centaine *f.* hundred; approximately one hundred
cependant however, meanwhile
cercle *m.* circle; hoop
cerclé circled, rimmed
certitude *f.* certainty
cesse; sans — unceasingly, continually
cesser to cease, stop
chacal *m.* jackal
chacun each; each one
chagrin sorrowful, melancholy; **—** *m.* sorrow, melancholy
chaîne *f.* chain
chaise *f.* chair
chaleur *f.* heat, warmth
chaleureu-x, -se warm
chambre *f.* room; **— à coucher** bedroom; **— conjugale** master bedroom
chameau, -x *m.* camel
champ *m.* field
champignon *m.* mushroom
chance *f.* luck; chance, occasion
chanceler to stagger
chandail *m.* sweater
chandelle *f.* candle
changement *m.* change, alteration
chant *m.* song; chant
chanter to sing
chanteur *m.* singer
chapeau, -x *m.* hat
chapelure *f.* grated bread; crumbs
chaque each, every
charbon *m.* coal
charbonner to smoke
charge *f.* load, burden; **être à la — de** to be the responsibility of; **prendre à —** to take upon oneself; **prendre en —** to take in charge

charger to load
charme *m.* charm
charnel, -le carnal; fleshy
chasse *f.* hunting; **fusil de —** shotgun
châsse *f.* reliquary, shrine
chasser to hunt, chase, drive away
chasseresse *f.* huntress
chaud hot, warm
chauffage *m.* heating
chauffer to heat
chauffeur *m.* chauffeur, driver
chaume *m.* thatch
chaussé shod, wearing shoes
chaussée *f.* road, roadway
chausser to put on (*shoes or socks*)
chaussette *f.* sock
chaussure *f.* shoe
chaux *f.* lime; whitewash; paint; calcinate
chèche *m.* long scarf worn by certain French colonial troops
chef *m.* chief
chemin *m.* road, way; path; **— de fer** railroad
cheminement *m.* progress
cheminer to travel, move on *or* about
chemise *f.* shirt
ch-er, -ère dear; expensive
chercher to look for, get
chéri *m.* dear, darling
cheval *m.* horse; **à —** on horseback; **culotte de —** riding breeches
chevalet *m.* easel
chevaucher to ride horseback; overlap
cheveu *m.* hair
cheville *f.* ankle

chevrefeuille *f.* honeysuckle
chez to, at, *or* in the place (house, office, country, *etc.*) of
chien *m.* dog
choc *m.* shock
chœur *m.* chorus, choir
choisir to choose
chose *f.* thing
chromo *m.* chromolithograph, colored print
ciel *m.* sky
cierge *m.* taper, candle
cimenté cement, cemented
circonstance *f.* circumstance
circuler to circulate, wander about
cire *f.* wax
clair clear; light-colored; light; **voir —** to see clearly
clairière *f.* clearing
claironnant trumpeting, resounding
clameur *f.* clamor, outcry
clandestinement clandestinely, secretly
clapotis *m.* splashing
clappement *m.* smacking
claquer to crack, slap, flap; **— des dents** to have one's teeth chatter
classe *f.* class, classroom; **aller en —** to go to school; **salle de —** classroom
clé *f.* key
clignoter to blink
climat *m.* climate, atmosphere
cloche *f.* bell
cloison *m.* wall, partition
cloisonner to partition
clos closed, shut
clôture *f.* closing
cœur *m.* heart; spirit; **de bon —** heartily

cognac *m.* cognac, brandy
cogner to bump; beat, bang
coiffé capped, covered
coin *m.* corner; wedge
coincé in a corner, caught
colère *f.* anger; **se mettre en —** to become angry
collège *m.* secondary school *(usually religious in character)*
coller to paste, glue, stick, press
collier *m.* necklace
colline *f.* hill
colosse *m.* colossus; **de —** huge
combattre to fight
combien how much, how many
combinaison *f.* combination; *(clothes)* overalls, slip
commande *f.* order, commission
comme as, like; how; **— ça** this way, that way
commencer to commence, begin
comment how
commodité *f.* commodity; convenience; **—s** *f. pl.* bathroom
commun common, ordinary **pièce —e** common room, living room; **—e** *f.* commune, small district
communauté *f.* community
compagnie *f.* company
compagnon *m.* companion
comparaison *f.* comparison
compenser to compensate for, make up for
complet *m.* suit
complètement completely
comprendre (comprenant, compris) to understand; to include
compromis compromised, hurt

compte *m.* account; — **rendu**
account; review; **se rendre —**
to understand, be aware; **tenir**
— to take account
compter to count
comptoir *m.* counter
concierge *m.* concierge (*door-keeper*)
concilier to conciliate; reconcile
conclure to conclude; end
concorde *f.* concord, peace, harmony
condescendance *f.* condescension
condition *f.* condition; **à la — de**
on condition that, provided that
conduire (conduisant, conduit)
to conduct, lead; drive
confiance *f.* confidence
confier to confide; turn over;
trust
confiture *f.* jam
confondre to confuse; mingle,
fuse
confrérie *f.* brotherhood
confus confused, vague, troubled;
—**ément** confusedly
congé *m.* leave; permission
congeler to freeze
conique conical
conjugal conjugal; **chambre** —**e**
master bedroom
connaissance *f.* knowledge; acquaintance
connaisseur *m.* connoisseur, art
lover; expert
connaître (connaissant, connu)
to know, be acquainted with
conquérir (conquérant, conquis) to conquer
consacrer to devote
conscience *f.* conscience; consciousness; psyche

conscient conscious, aware
conseil *m.* counsel, advice
conseiller to advise, suggest
consentir to consent
constater to ascertain, verify
constituer to constitute, form
construire (construisant, construit) to construct, build
contempler to contemplate
contemporain contemporary
contenir (contenant, contenu)
to contain
content content, contented, glad
contenu *m.* contents
conter to recount, tell
continu continuous
contraindre (contraignant, contraint) to constrain, force
contraire *m.* contrary; **au —**
on the contrary
contrarier to oppose, cross
contrat *m.* contract
contre against, counter
(en) contrebas down below
contrefort *m.* buttress; spur
(à) contre-jour against the
light
contremaître *m.* foreman
convaincu convinced
convenable suitable, proper
convenir (convenant, convenu)
to be suitable; agree
convulser to convulse
copeau, -x *m.* shaving
coq *m.* cock, rooster
Coran *m.* Koran
corde *f.* rope
cordelette *f.* small rope, string
cornu horned
corps *m.* body
corse Corsican
cortège *m.* procession
corvée *f.* job, chore

costaud *m.* strong fellow

côte *f.* coast; rib; — **à** — side by side

côté *m.* side; **à** — **de** beside; **à ses** —**s** at his (her) side, beside him (her); **de ce** — on this (that) side; **de l'autre** — on the other side *or* hand; **de leur (son)** — for their (his, her) part; **d'un** — on one side *or* hand

couche *f.* layer

couché lying, lying down

coucher to lay down, put to bed; lie down, sleep; **se** — to lie down, go to bed; **chambre à** — bedroom

coude *m.* elbow

couffin *m.* market basket (*made of straw or rushes*)

couler to flow; sink

couleur *f.* color

couloir *m.* hall

coup *m.* blow, push, stroke; point; — **de pied** kick; — **sur** — in rapid succession; **à** —**s** by blows, pushes *or* jabs; **du** — at the same time, as a result; **d'un (seul)** — at a single blow, all at once; **tout à** —, **tout d'un coup** suddenly

coupable guilty

couper to cut, cut off

cour *f.* court, courtyard

courbature *f.* pain, strain

courbe curved; — *f.* curve

courbé bent, bowed

courbure *f.* curvature

courir (courant, couru) to run; gad about in

courrier *m.* courier; mail

cours *m.* course, movement; **en** — in hand, under way

course *f.* course, passage; race; outing, errand; running

court short

courtoisie *f.* courtesy

cousin *m.*, —**e** *f.* cousin

couteau, —**x** *m.* knife

couturière *f.* seamstress

couvert *m.* cover, place setting (*at table*)

couverture *f.* cover, blanket

couvrir (couvrant, couvert) to cover

craie *f.* chalk

craindre (craignant, craint) to fear

crâne *m.* skull

crâner to swagger, put on a good show

crapaud buffle *m.* bull frog

craquer to crack, creak

crasseu-x, -se dirty, filthy

cravate *f.* tie

crécelle *f.* rattle

créer to create

crépi rough-finished; pargetted — *m.* rough-finished plaster

crépitement *m.* crackling

crépuscule *m.* dusk, twilight

creuser to dig, hollow out

creux *m.* hollow

crever to burst; die (*slang when used of persons*)

cri *m.* cry

cribler to sift; pepper

crier to shout, cry out; — **gare,** to call out a warning, warn

crise *f.* crisis

crisser to grind (*as with one's teeth*), grate, squeak

cristal *m.* crystal

critique critical; — *m.* critic; — *f.* criticism

croire (croyant, cru) to believe, think

croisement *m.* crossing, intersection

croiser to cross, meet (*when going in opposite directions*)

croissance *f.* growth

croupe *f.* rump; **en —** behind

croquer to crunch; sketch

croûte *f.* crust; scab; scaling

croyance *f.* belief

cru crude, raw; harsh

crue *f.* flood

cubage *m.* cubic space

cuir *m.* leather

cuire (cuisant, cuit) to cook

cuisine *f.* kitchen; cooking

cuisinier *m.* cook

cuisse *f.* thigh

cuit (*past part. of* **cuire**) cooked; settled

cuivre *m.* copper, brass

culotte *f.* breeches; **— de cheval** riding breeches

cumuler to cumulate, combine, pile up

curieu-x, -se curious; strange; novel

D

danse *f.* dance

danser to dance

danseu-r *m.*, **-se** *f.* dancer

datte *f.* date

de of, from, with, by, concerning, for; **— ... en...** from ... to ...

débardeur *m.* stevedore

débarras *m.* riddance

débarrasser to clear, rid; **se — de** to get rid of

débattre to debate; **se —** to struggle

déborder to overflow; outflank

déboucher to clean out; open out; come out

debout standing, upright

début *m.* beginning

débuter to begin

décapité decapitated, headless

decevoir (décevant, déçu) to disappoint

déchaîner to let loose, let go

déchiffrer to decipher, make out

déchirer to tear

décidé decided, determined, resolute

décider to decide; **se —** to make up one's mind

décision *f.* decision

décliner to decline, grow less

déclive sloping

décoller to free, loosen, separate

décoloré discolored

décomposé decomposed; no longer composed; distorted

déconfit disappointed, crestfallen

décor *m.* decoration, setting

décoré decorated, graced

découper to cut out, cut up; outline, **se —** to stand out

décourager to discourage

découvert uncovered; discovered; clear; open

découverte *f.* discovery

découvrir (découvrant, découvert) to discover, uncover, reveal; **se —,** to clear (up); take off one's hat

décroiser to uncross

défait undone; exhausted; unmade

défaite *f.* defeat

défendre to defend; prohibit

défense *f.* defense, prohibition; **— de** it is forbidden to

déférence *f.* deference, respect
déferler to unfurl, unfold
définitivement definitively, once and for all
défoncé staved in; collapsed; full of holes
défoncement *m.* hole, broken area (*as in pavement*)
dégager to disengage
déganter to remove one's glove *or* gloves
dégénérer to degenerate
déglutir to swallow
dégoûter to disgust
dégoût *m.* disgust
dégoutter to drip, trickle
degré *m.* degree; step
dehors outside, out-of-doors, out; **au- —** outside
déjà already
déjeuner to lunch, dine; **—** *m.* lunch; **petit —** breakfast
délavé faded
délégué *m.* delegate
délier to unbind
délimité delimited, bordered
délire *m.* delirium
délivrer to deliver, free
démailloté unswathed, unwrapped
demain tomorrow
demande *f.* demand, request; **à la —** on request
demander to ask (for); require, demand; **se —** to wonder
démarche *f.* walk; step
démarrer to start up, get under way
démarreur *m.* starter
démembrer to dismember; **se —** to fly to pieces
déménagement *m.* furniture moving; moving out

déménager to move (out)
dément insane, demented
démesuré immoderate, enormous
(au) demeurant besides, however
demi *m.* half; **— -heure** *f.* half-hour; **— -silence** *m.* half silence; **à —** half-way
dénoncer to denounce
dénouer to untie, loosen; bring to an end
dense dense, thick
dent *f.* tooth
départ *m.* departure
dépasser to exceed, go beyond, extend beyond; pass; overload
dépêcher to hurry
dépeigné disheveled
dépenaillé ragged
déplacer to displace, move
déplier to unfold
déployé stretched, spread out
déposer to lay down
dépôt *m.* deposit; storage place; **— de ferraille** junkyard
depuis since; for, from; **— quand?** How long; **— que** since; **— ... jusqu'à** from ... to
déranger to disturb
déraper to skid
dérisoire mocking; absurdly low *or* small, desultory
dérive *f.* drifting; **à la —** adrift
dériver to drift
derni-er, -ère last, latter, latest, most recent
derrière behind
dès from, beginning with; **— lors** from then on, from that time forward; **— que** as soon as

désaccorder to put out of tune
désapprouver to disapprove
désarmé disarmed; helpless
descendre to descend, go down, get down *or* out
déséquilibré losing one's balance
désert deserted; — *m.* desert
désespéré desperate, despairing
déshabiller to undress
désigner to designate, point to
désintéressé disinterested
désintéressement *m.* disinterestedness, unselfishness
désolé desolate, lonely; sad
désoler to desolate; afflict; **se — de** to be disconsolate, grieve over
désordonné disorderly, incoherent, excessive
désordre *m.* disorder
désormais henceforth, from now on
desséché dried
desserrer to relax, loosen
desservir to clear (*the table*); connect
dessin *m.* drawing; outline
dessiner to draw, sketch; outline; **se —** to stand out
destin *m.* destiny, fate
destiner to destine, intend
détendre to relax, ease
détente *f.* relaxation
détimbré toneless, flat
détourner to turn away, aside
détremper to soak
détruire (détruisant, détruit) to destroy
deux two; **tous —, les —, tous les —** both; **—ième** second
dévaler to slope down, hang down; rush down

devant in front of, before; **(venir) au- — de** (to come) to meet; — *m.* front
devenir to become
déverser to pour out
deviner to guess; make out
devoir to owe; ought, should, must; have to, am to (*etc.*); — *m.* duty
dévorer to devour
dévouement *m.* devotion, self-sacrifice
dévouer to devote, dedicate
diable *m.* devil; fellow
dieu, -x *m.* god
difficile difficult
dignement worthily
digue *f.* dike
dilater to dilate, expand
dimanche *m.* Sunday
diminuer to diminish
diminution *f.* diminution, falling off
dîner to dine; — *m.* dinner
diplôme *m.* diploma
dire to say, tell; **vouloir —** to mean
directement directly
diriger to direct; **se — vers** to go toward
discontinuer to discontinue, stop
discours *m.* speech; conversation; **tenir un — à** to address, hold forth to
discuter to discuss, argue
disparaître (disparaissant, disparu) to disappear
dispenser to dispense, free from
dispersé dispersed, spread out
disposer to dispose, place, arrange

disposition *f.* disposition; arrangement; provision; **prendre ses —s pour** to make preparations to, get ready to
dispute *f.* dispute, argument; bickering
disputer to dispute, fight over
disséminé disseminated, scattered
disserter to discourse
dissimuler to dissimulate, hide
distinctement distinctly
distinguer to distinguish, make out
distrait distracted, distraught; careless; absent-minded
divan *m.* divan, sofa
divisé divided
dizaine *f.* approximately ten, ten or so, ten
djellabah *m.* jellaba (*a long blouse*)
docilement docilely, obediently
doigt *m.* finger
dôme *m.* dome, cupola
domestique domestic, of *or* for the house; — *m. or f.* servant
dominer to dominate, command
dompter to dominate
don *m.* gift
donatrice *f.* (woman) giver, donor
donc then, therefore, so
donner to give; — **sur,** to give onto, open onto
dont of, from, with, *etc.* which *or* whom; whose
doré gilded, golden
dorloter to coddle
dormir to sleep
dos *m.* back
dossier *m.* dossier, file

doubler to double, pass
douceur *f.* sweetness, gentleness
douche *f.* shower
douelle *f.* stave
douleur *f.* sorrow, pain, sadness
douloureusement painfully
doute *m.* doubt; **sans —** doubtless, to be sure
dou-x, -ce sweet, gentle, mild; slow
douzaine *f.* dozen
dragée *f.* sugar-coated almond
dramaturge *m.* playwright
drap *m.* sheet
drapé draped
dressé standing (up)
dresser to erect, set up; train; **se —** to sit *or* stand (up)
droit right; straight; **angle —** right angle; — *m.* law; **—e** *f.* right (hand)
drôle funny; — **de** strange
dur hard
durcir to harden
durer to last

E

eau, -x *f.* water
ébauche *f.* sketch
ébauché sketched in
ébranler to shake, disturb; **s'—** to be moved, begin to move, get under way
(s')ébrouer to snort; flutter
ébullition *f.* ebullition, excitement
écaille *f.* scale
écarquiller to open wide
écarter to spread, separate, remove; **s'—** to go to one side, step aside; depart
échanger to exchange

échantillon *m.* sample
échauffé excited
échec *m.* failure
échouer to fail, be stranded
éclair *m.* flash
éclairage *m.* lighting
(s')éclaircir (*of weather*) to clear, clear up, to become bright(er); to thin out
éclairer to light, illuminate
éclat *m.* burst; brilliance
éclatant brilliant; piercing; remarkable
éclater to burst, burst out, — **de rire** to burst out laughing
écœurer to sicken, nauseate
écœurement *m.* loathing; nausea
école *f.* school
économie *f.* saving
écorce *f.* bark
écoulement *m.* drainage; **rigole d'**— drain
écourter to shorten
écouter to listen (to)
écraser to crush
écrire (écrivant, écrit) to write
écriture *f.* writing
écrivain *m.* writer
(s')écrouler to collapse
écuelle *f.* bowl
éditeur *m.* publisher
édition *f.* edition; publishing
effacer to efface, erase, remove, wear off, **s'**— to efface oneself; step aside
effarer to frighten; bewilder
effectuer to effect, carry out
effet *m.* effect; **en** — in fact, actually
effigie *f.* effigy, portrait, depiction
effleurer to graze, touch lightly

(s')efforcer to try, strive, struggle
effrayer to frighten, terrify
effusion *f.* effusion; **avec** — effusively
égal equal; even, unvarying
égaliser to equalize
église *f.* church
élan *m.* spurt, burst, dash, spirit, flight, enthusiasm
élargir to enlarge, increase
élégant elegant, fashionable
élève *m.* pupil
élever to raise
éloge *m.* praise
éloigné distant, far apart
éloigner to remove, move away
élytre *m.* elytron (*one pair of wings on certain insects*)
embarcadère *m.* pier, jetty
embarras *m.* embarrassment, bother
embarrassé embarrassed; clumsy, awkward
embrasser to embrace, kiss
embrasure *f.* embrasure, window opening, door opening
embroché spitted, stuck
embué misty
émerveillement *m.* wonder, astonishment
émerveiller to amaze, astonish
émission *f.* emission, utterance
émettre (émettant, émis) to emit, utter
éminence *f.* eminence, height
emmener to take away *or* along
emmitoufler to muffle up
emouvoir (émouvant, ému) to move
(s')emparer to seize, grab, take possession

empêchement *m.* hindrance, impediment

empêcher to prevent, keep from

empiler to pile up, gather together

emplir to fill

emploi *m.* employment, use

employé *m.* employee

employer to employ, use

empocher to put in one's pocket

empoigner to grasp, take hold of

emporté carried away, violent, impetuous

emporter to carry away; **l'—** to win (out)

emprunter to borrow; make use of, use

ému moved, touched

en of *or* from it *or* them; some; as, like; while; **de... —...** from ... to ...

encadrer to frame, surround

encastrer to fit in; **s' —** to fit oneself into, get into, be in

enchanté enchanted, delighted

encombrement *m.* clutter, congestion

encombrer to encumber, clutter

encore again, still, yet; once more; more; **— un(e)** another

endormir to put to sleep; **s'—** to go to sleep

endroit *m.* place, spot; **à l'— de** toward, in regard to

(s')énerver to become nervous, excited

enfant *m.* child

enfantin childish, child-like

enfilade *f.* suite of rooms; **en —** (*rooms*) in a row

enfiler to thread; slip on

enfin finally; well

enflammé inflamed

enfoncer to drive in, sink; stick, shove; **s'—** to sink, disappear, go into, penetrate

enfouir to hide, bury

enfourcher to straddle, get onto

(s')enfuir to flee

enfumé smoky, smoke-filled

engager to engage; **s'— dans** to enter, begin to follow

engouffrer to engulf, swallow (up); **s'—** to be engulfed; rush (into)

engraisser to fertilize, fatten

ennui *m.* boredom, ennui

(s')ennuyant bored, being bored

énorme enormous

enroué hoarse

enrouler to wrap, entwine

enrubanné beribboned

ensanglanté bloodied, bloody

enseigner to teach

ensemble together

ensuite then, next

entailler to gash

entamer to start into, begin

entassement *m.* crowding, congestion

entasser to pile (up), heap

entendre to hear; understand; **s'—** to come to an understanding; **entendu** understood, O.K.

enti-er, -ère entire, whole

entourer to surround

entraînement *m.* training

entraîner to draw along, drag along

entre between, among

entrebâiller to half open

entrecroisé crisscrossed

entrée *f.* entrance, entry

entreposer to store

entreprendre (entreprenant, entrepris) to undertake
entrer to enter
entretenir (entretenant, entretenu) to provide, keep, maintain
entrevue f. interview
entrouvrir (entrouvrant, entrouvert) to half open, open part way
envahir to invade
envers toward
envie f. desire; **avoir — de** to want to
environs m. pl. environs, vicinity; **aux — de** around, in the vicinity of
(s')envoler to fly away
envoyer to send
épais, -se thick, dense
épaisseur f. thickness, depth
épaissir to thicken
épanoui spread out
épargner to save, spare
épaule f. shoulder; **les —s ramassées** with shoulders hunched
épi m. grain of wheat; **des —s de cheveux** locks or shocks of hair which stick out from the rest of the hair
épice f. spice
épicier m. grocer
épine f. thorn
éponge f. sponge
époque f. period, age, epoch
époumoner to put out of breath
épreuve f. test, trial, proof
éprouver to test
épuiser to wear out, exhaust
équilibre m. equilibrium, balance
equilibré balanced

errer to wander
escabeau m. stool
escalier m. stairs, staircase
escamotable removable; avoidable; **tablette —** removable or sliding shelf
escarpé steep
esclave m. slave
escogriffe m. lanky fellow, lout
escorte f. escort
espace m. space
espacer to space (out)
espadrille f. espadrille (a shoe with rope sole and cloth upper)
espagnol Spanish; **à l'—** Spanish style
espèce f. sort, kind; species
espérance f. hope
espoir m. hope
esprit m. spirit; mind
essaim m. swarm
essayer to try
essence f. essence; gasoline, gas
essieu, -x m. axle
essoufflé out of breath
essuyer to wipe, wipe off; dry (dishes)
est m. east
esthétique f. esthetic
estimer to esteem, admire
estompé blurred
estrade f. platform
estuaire m. estuary, mouth (of a river)
établi m. workbench
établir to establish
étage m. floor, stage; **premier —** second floor
étagère f. what-not, set of shelves
étain m. tin; pewter
étaler to show, display; spread out

état *m.* state
été *m.* summer
éteindre (éteignant, éteint) to extinguish, put out (the light, fire, *etc.*); **éteint** extinguished, muted, faded, dull
étendre to extend, stretch
étendue *f.* extent, area, space, expanse
éternuement *m.* sneezing
étinceler to sparkle, shine
étoffe *f.* cloth, textile
étoile *f.* star
étonnement *m.* astonishment
étonner to astonish, startle, amaze; **s'—** to be astonished
étouffer to stifle, choke; muffle
étoupe *f.* tow, oakum
étourdi thoughtless; foolish; impulsive
étourdissant dizzying, numbing
étrange strange
étrang-er, -ère foreign; — *m.* stranger
être (étant, été) to be; — **en train de** to be in the midst of; — *m.* being, person
étreindre (étreignant, étreint) to clasp in one's arms, embrace
étrenner to use for the first time
étroit narrow, close
étroitesse *f.* narrowness; smallness
étude *f.* study
étudiant *m.* student
(s')évader to escape
(s')évanouir to faint; vanish
événement *m.* event
évidemment obviously, clearly
évident evident, obvious
éviter to avoid; spare
exactement exactly

exaltation *f.* exaltation, rapture
exalter to exalt, glorify
excentrique eccentric; outlying
excepté except
excès *m.* excess
(s')exclamer to exclaim
exécuter to execute, carry out
exigeant demanding; hard to please
exiger to require, demand
exiguïté *f.* narrowness
exil *m.* exile
exister to exist
(s')exorbiter to pop out (*of eyes*)
exotique exotic, foreign
expédier to send
expirer to expire, die
expliquer to explain
exposition *f.* exposition, exhibition
exprimer to express
(s')extasier to go into raptures
exténué exhausted
extirper to extirpate, extricate
extrémité *f.* extremity; end

F

fabriquer to make, produce
façade *f.* façade; front, face
face *f.* face; **en —** (**de**) opposite (to), across (from); **faire — à** to face
fâcheu-x, -se unfortunate
facile easy
façon *f.* way, fashion, manner
facteur *m.* postman
fade stale
faible feeble, weak, faint, slight
faiblesse *f.* feebleness, weakness
faiblir to weaken
faillir to fail; — + *inf.* almost to, nearly

faim *f.* hunger; **avoir —** to be hungry

faire (faisant, fait) to do, make; cause; **— + *inf.*** to have someone do something, have something done; **— chaud** to be hot; **— de la peine (à)** to hurt; **— école** to have a following or school; **— face à** to face; **— froid** to be cold; **— mal (à)** to hurt; **— mine (de)** to pretend (to), act as though; **— peur (à)** to frighten; **— remarquer** to point out; **— sa toilette** to wash (up); **— savoir (à)** to inform, tell; **— valoir** to talk up, display, show off; **— vivre** to provide a living, an income; **— voir** to show; **n'avoir que — de** to have no use for; **que —** what to do

fait *m.* fact; **tout à —** wholly, entirely

falloir to be necessary, needed; to need, require

famélique famished, starving

famili-er, -ère familiar; **—** *m.* regular visitor

famille *f.* family

fantôme *m.* phantom, ghost

farine *f.* flour

farouche fierce, ferocious

fascinant fascinating

faubourg *m.* suburb, outlying district *or* quarter

faucher to mow (down)

faune *m.* faun (*classical rustic god, part man, part goat*)

faute *f.* fault

fau-x, -sse false, fake

féconder to fecundate, make fertile

fêlé cracked

féliciter to congratulate

femme *f.* woman, wife

fendre to split, rend; cut through; fend one's way through

fenêtre *f.* window

fente *f.* slot, slit

fer *m.* iron; **—-blanc** tin; **chemin de —** railroad

ferme firm

fermer to shut, close

ferraille *f.* scrap iron, junk; **dépôt de —** junkyard

ferraillement *m.* metallic banging

ferré fitted with iron; **la voie —e** railroad

fête *f.* holiday, celebration

fêter to celebrate

feu *m.* fire; lamp, light

feuilleter to leaf through

feulement *m.* animal cry

ficher to stick

fidèle faithful

fi-er, -ère proud

fierté *f.* pride

fièvre *f.* fever

fiévreu-x, -se feverish

figé congealed, frozen; motionless, rigid

figue *f.* fig

figure *f.* face

filer to be off, leave

filet *m.* net; thread; trickle

fille *f.* girl; daughter; old maid

fillette *f.* little girl

fils *m.* son

fin fine, delicate

fin *f.* end

finalement finally, after all

financi-er, -ère financial

finir to end, finish; **— par** to end (up) by

fiscalité *f.* income tax bureau

fixe fixed; staring; stable, rigid

fixer to stare at; attach, fix; attract

flamme *f.* flame

flanc *m.* side

flanelle *f.* flannel

flânerie *f.* loafing

flanqué bordered

flaque *f.* puddle

flèche *f.* arrow

fléchir to bend, flex, sway; give way; weaken

flétri withered

fleur *f.* flower

fleuve *m.* river

flot *m.* wave, flood

flotter to float

foi *f.* faith

fois *f.* time; **à la —** at the same time; **à la — ... et ...** both ... and ...; **d'autres —** at other times; **une —** one time, once; **une — de plus** once more

folie *f.* folly; madness

foncé dark

foncer to darken, become dark

fonction *f.* function, job, post

fond *m.* bottom, end, back; depth

fondre to melt, fuse

fontaine *f.* fountain

fonte *f.* cast iron

forçage *m.* forcing

forçat *m.* convict

force *f.* force, strength; **à — de** by means of, by dint of, from

forcément forcedly, necessarily

forêt *f.* forest

formule *f.* formula, expression

fort strong, heavy set; *as adverb:* strongly; very; **—** *m.* fort

fortune *f.* fortune; luck

fou, fol, folle insane, crazy; foolish; **—** *m.* madman; fool

foudre *m.* large cask, tun

foulard *m.* foulard, silk kerchief, scarf

foule *f.* crowd; host, large number

fouler to tread, trample

fourbu done for

fourmi *f.* ant

fourneau, -x *m.* stove

fournir to furnish, provide (for)

fourrer to stick, shove

foyer *m.* hearth

fracassant shattering

fraîcheur *f.* freshness, coolness

frais, fraîche fresh, cool; recent; **fraîchement** recently, newly

franc, -he frank, free; out-and-out; **—** *m.* franc (*unit of French money*)

français French

franchir to cross

frapper to strike, clap; **— dans les mains** to clap

fraternité *f.* fraternity, brotherhood

frayer to trace out, clear

frein *m.* brake

freiner to brake, put a brake on

frêle frail

frémissement *m.* shiver, trembling

fréquenter to frequent

frère *m.* brother

friable friable, easily crumbled

frileu-x, -se chilly, easily chilled

frisson *m.* shiver

frissonner to shiver

frit fried

froid cold; **avoir —** to be cold; **faire —** to be cold (*weather*)

froissé bruised, hurt
froissement *m.* rumpling, crumpling
frôler to brush lightly against
fromage *m.* cheese
froncement *m.* gathering; — **de sourcils** frown
frondaison *f.* foliage
front *m.* forèhead, front
frotter to rub
fugiti-f, -ve fugitive, fleeting
fuir (fuyant, fui) to flee
fuite *f.* flight
fumée *f.* smoke
fureur *f.* fury, rage
furieu-x, -se furious, angry
furti-f, -ve furtive, stealthy
fusil *m.* gun; — **de chasse** shotgun
futaie *f.* cask
fuyant fugitive, vanishing

G

gâcher to spoil
gagner to gain, win; earn; reach; — **du terrain** to gain ground, make headway
gai gay, happy
gaillard *m.* fellow
galerie *f.* gallery, covered balcony; passage
galette *f.* cake
ganté gloved
garçon boy; waiter
garder to keep
garderie *f.* infant's school, nursery
gare *f.* (railroad) station
gare! look out! make way!; **crier** — to call out a warning, warn
garer to put out of the way; **se** — to step aside

gargoulette *f.* jug
garnir to furnish, provide; decorate; fill
gars *m.* boy, fellow
gastronomique gastronomic; **relais** — excellent restaurant
gâterie *f.* spoiling; gift
gauche left; awkward
gaucho *m.* gaucho (*S. American cowboy*)
gaz *m.* gas
gaze *f.* gauze
gazette *f.* newspaper
gémir to groan
gémissement *m.* groan, moan
gênant bothersome
gendarme *m.* policeman
gêner to bother, embarrass; **ne pas se** — not to stand on ceremony
généreu-x, -se generous
genou, -x *m.* knee
genre *m.* kind, sort; race
gens *m. pl.* people
gentil, -le nice
gerbe *f.* sheaf, bundle
geste *m.* gesture
gifler to slap
giration *f.* gyration, rotation, turning
glace *f.* ice, mirror, window (*of a car, bus*)
glacé frozen, freezing
glaçon *m.* icicle
glaise *f.* clay
glauque pale sea-green
glissant slipping, slippery
glisser to slip; — **à l'oreille** to whisper
gloire *f.* glory
gond *m.* hinge
gonfler to fill, swell (out)
gorge *f.* throat

gorgée *f.* swallow
goulée *f.* gulp
gourmander to scold, chide
gourmandise *f.* gluttony
goût *m.* taste
grâce *f.* grace; favor; — à thanks to; **rendre —s** to give thanks, thank
gracieu-x, -se graceful, gracious
gracile slender and fragile
grain *m.* grain
graine *f.* seed
graminée *f.* gramineous plant (*the grass family*)
grand great, large, big; **—e rue** main street
grand-chose *m.:* **pas —** not much of anything
grandir to grow (up)
grand-père *m.* grandfather
grappe *f.* cluster; bunch (of grapes)
gratter to scratch, scrape
gratuit free
grave grave, serious
gravir to mount, climb
gravure *f.* engraving; etched *or* engraved marks
grège raw
grêle thin
grenade *f.* pomegranate
grève *f.* strike
gribouillage *m.* scrawl, daub
grignoter to nibble
grillagé latticed, with a metal lattice
griller to grill, roast
grimper to climb (up)
grincement *m.* grating, creaking
grincer to grate, creak
gris grey
griser to intoxicate, make drunk

grisonnant greying
grognement *m.* grumble, grumbling
grogner to groan, grumble
grondement *m.* rumbling; roar
gronder to scold; rumble
gros, -se large, fat, big, heavy, coarse
grossi-er, -ère coarse, crude; rough-hewn
grossir to enlarge, grow larger
grotte *f.* grotto
(ne...) guère hardly; not much, very little
guéridon *m.* small round table
guérir to get well; cure
guerre *f.* war
guetter to watch for, listen for
guetteur *m.* lookout
gueule *f.* muzzle; (*slang*) face, hangover
guidon *m.* handlebars
guingois *m.* crookedness; **de —** awry, lopsided; at an angle
guirlande *f.* garland
guise *f.* guise; **en — de** by way of
guttur-al,- aux guttural throaty

H

habiller to dress
habitant *m.* inhabitant
habiter to inhabit, live in
habitude *f.* habit; **d'—** ordinarily
habituel, -le habitual, usual, regular
habituer to accustom
hagard haggard, gaunt
haie *f.* hedge
haillonneu-x, -se ragged, ill-clad

haine *f.* hatred
haineu-x, -se full of hate
haleine *f.* breath
haleter to pant
hanche *f.* hip
hangar *m.* hangar, shed
haricot *m.* bean
hasard *m.* hazard, chance
hâte *f.* haste, hurry
hausser to raise; shrug
haut high, tall; — *m.* top, upper part
hauteur *f.* height; **à — de** level with
hebdomadaire weekly
hein hey! what? now then!
hérissé upraised; bristling
hermétiquement hermetically, perfectly tight
hésiter to hesitate
heure *f.* hour; (*of time of day*) o'clock; **à la première —** very early; **tout à l'—** shortly; recently
heureu-x, -se happy; fortunate, lucky
heurter to bump, knock against
hier yesterday
hisser to hoist
hiver *m.* winter
hocher to nod
homme *m.* man
honnêtement honestly, squarely
honte *f.* shame; **avoir —** to be ashamed
honteu-x, -se ashamed, embarrassed
hôpital *m.* hospital
hoquet *m.* hiccough
hors outside of
hôte *m.* host; guest
hôtel *m.* hotel; town house
huile *f.* oil

huilé oiled
huileu-x, -se oily
humanisation *f.* humanization
humide humid, damp, wet
hurlement *m.* howling, shouting
hurler to howl, shout

I

ici here
idée *f.* idea
ignorer to be unaware of, not know
île *f.* island
illuminé illuminated
illustré *m.* picture magazine
image *f.* image, picture
imbattable unbeatable
imbécile idiotic
imberbe beardless, hairless
immobile immobile, motionless
immobili-er, -ère pertaining to real estate
immobiliser to immobilize; **s'—** to stop moving, stand still
impalpable impalpable, intangible, very delicate
impassibilité *f.* impassivity
impassible impassive
impérati-f, -ve imperative, commanding
impérieu-x, -se imperious, insistent
importer to import; be of importance, matter
impressionné impressed
imprévu unforseen
imprimé *m.* publication
impromptu impromptu, spur-of-the-moment
impuissance *f.* impotence, powerlessness, weakness

inaltérable unalterable, unchangeable, unchanging
inaperçu unperceived
inarticulé inarticulate
incapacité *f.* inability
incartade *f.* outburst; folly
incertain uncertain
incliner to incline, bend, bow
incolore colorless; toneless
incommode inconvenient
inconnu unknown; unsuspected
inconscient unconscious
inconvénient *m.* inconvenience
indécis indecisive, hesitant; vague
indemnité *f.* indemnity; supplement, surcharge
indescriptible indescribable
indien, -ne Indian
indifférent indifferent; unimportant; mediocre
indigène native
indigne unworthy
indirect indirect
inég-al, -aux unequal
inépuisable inexhaustible, never failing
inerte inert, without movement
inextricable inextricable, tangled
infatigable indefatigable
infiltrer to infiltrate, seep, filter
infirme weak, crippled
infliger to inflict
infortune *f.* misfortune
ingénieur *m.* engineer
ingénieu-x, -se ingenious
ingéniosité *f.* ingenuity
ingrat ungrateful; sterile
ininterrompu uninterrupted
injonction *f.* injunction; order
inlassable tireless

inondation *f.* inundation, flooding
inonder to inundate, flood
inqui-et, -ète nervous
inquiéter to make nervous; s'— to grow nervous, worried
inquiétude *f.* nervousness, anxiety
insensiblement imperceptibly
insistant insisting, insistent, demanding
insolite unaccustomed, out of the ordinary
insouciance *f.* unconcern
installation *f.* installation, quarters; device
installer to install, set up
instituteur *m.* school teacher
instrument *m.* instrument, utensil
insuffler to breathe into
insupportable unbearable
intact intact, unbroken
intégrer to integrate; make one with
intercepter to intercept, cut off
interdire (interdisant, interdit) to forbid; prevent, keep from
interdit forbidden; rendered speechless, stunned
intéressé *m.* interested party
intéresser to interest; s'— à to be interested in
intérêt *m.* interest
intérieur interior
interlocuteur *m.* interlocutor, questioner
intermédiaire *m.* intermediary, middleman
interpeller to interpellate, address, question
interrogation *f.* interrogation, questioning

interroger   to   interrogate, question
interrompre   to interrupt
intimité *f.*   intimacy
introduire (introduisant, introduit)   to introduce, get into
inutile   useless
inverse   inverse, opposite
invoquer   to invoke, appeal to
irréguli-er, -ère   irregular
irrespirable   unbreathable
irruption *f.*   invasion, bursting in
isolement *m.*   isolation
isoler   to isolate
issu   issued; born
issue *f.*   issue, way out
ivre   drunk
ivrogne *m.*   drunkard, drunken man

joue *f.*   cheek
jouer   to play; be involved
jouir   to enjoy
jour *m.*   day; daylight; **mettre au —**   to reveal, uncover
journ-al, -aux *m.*   newspaper
journée *f.*   day, daytime
joyeu-x, -se   joyous
juge *m.*   judge
jugement *m.*   judgment
juger   to judge
jurer   to swear
juron *m.*   oath, curse
jusqu'à   as far as, up to, until; even **depuis ... jusqu'à** from ... to
jusque-là   that far; until then
justement   precisely, exactly, specifically

J

jacassement *m.*   chattering
jaillir   to spurt out
jamais   never; not ever; ever; **à — **   forever; **ne... — que** never except; **plus —**   never again
jambe *f.*   leg
jardin *m.*   garden
jaunâtre   yellowish
jaune   yellow
jauni   yellowed
Japon *m.*   Japan
japonais   Japanese
jet *m.*   jet, stream
jetée *f.*   jetty, pier, dock
jeter   to throw, hurl, cast; **— un regard**   to glance
jeune   young
jeunesse *f.*   youth
joie *f.*   joy
joindre (joignant, joint)   to join, bind, link

K

kilo(gramme) *m.*   kilogram (2.2 *pounds*)
kilomètre *m.*   kilometer (*ca.* $\frac{5}{8}$ *of a mile*)
képi *m.*   kepi, French military cap
kimono *m.*   kimono

L

là   there; **par —**   that way
là-bas   there, down *or* over there
labourer   to plow
lâche   cowardly; relaxed; loose
lâcher   to let loose, let go of, drop
là-dessus   on it; about it
laid   ugly
laine *f.*   wool
laïque   lay, secular

laisser to let, leave

lait *m.* milk

lambeau, -x *m.* rag; tatter, shred

lame *f.* blade; plate, leaf

lancée *f.* trajectory, path, direction already taken

lancer to throw; start up; hurl

lange *m.* swaddling cloth, swathing band, cloth in which a baby is wrapped

langue *f.* tongue, language

languissant languishing, listless

large wide, large; **au —** in the open, free, at ease; **au — de** (*nautical*) off of

largeur *f.* width

larme *f.* tear

las, -se tired

lasser to tire

lavabo *m.* wash basin

laver to wash

lecture *f.* reading

lég-er, -ère light, slight

leggins *m. pl.* leggings, chaps, puttees

lendemain *m.* the following day

lent slow

lenteur *f.* slowness; **avec —** slowly

lequel, laquelle, lesquels, lesquelles which, who; which one

lever to raise, lift; **se —** to rise, get up, arise

lèvre *f.* lip

liane *f.* liana; tropical creeper

libéré liberated, freed

libérer to liberate, free

libre free

liège *m.* cork

lien *m.* bond

lier to bind, tie

lieu, -x *m.* place; **au — de** instead of

ligne *f.* line

linge *m.* laundry, washing; haberdashery; linen; **séchoir de —** laundry rack

lingerie *f.* lingerie; linen closet

liquéfier to liquify

lire (lisant, lu) to read

lisse smooth

lit *m.* bed; **— de camp** folding bed

littoral *m.* shore, coast

livre *m.* book

livrer to deliver

locataire *m.* tenant

location *f.* renting, hiring; reservation (*of seats, places*)

logement *m.* lodging, housing

loger to lodge, live; house

loi *f.* law

loin distant, far, afar; **au —** in the distance; **de —** from afar, by far; **de — en —** at long intervals

lointain distant; **—** *m.* distance

loisir *m.* leisure

long, -ue long; **—** *m.* length; **de tout son —** at full length; **le — de** the length of, along, beside

longer to go along, skirt

longtemps long, a long time

longuement at length

longueur *f.* length; **à — de ...** over ..., for ... at a time

loque *f.* rag

loquet *m.* handle, latch

lors at the time, then; **dès —** from then on, from that time forward

lorsque when

louer to rent

lourd heavy

ludion *m.* ludion (*small figure in a glass sphere, which can be made to rise or sink by varying pressure on a flexible covering in the top of the sphere*)

luire (luisant, lui) to shine

lumière *f.* light, illumination

lumineu-x, -se luminous

lunettes *f. pl.* (*eye*) glasses

lutter to struggle, fight

lycée *m.* lycée (*French high school*)

M

maçonné made of stone

magasin *m.* store

magnanime magnanimous; noble and honorable

maigre thin

maigrir to grow thin, lose weight

main *f.* hand; **frapper dans les —** to clap

maintenant now

maintenir (maintenant, maintenu) to maintain, keep

maire *m.* mayor

mairie *f.* town hall

mais but; **— oui** yes, certainly

maison *f.* house, home

maître *m.* master

maîtrise *f.* mastery, master craftsmanship

majestueu-x, -se majestic

majorer to increase

mal badly, ill; **—** *m.* ill, evil, pain; **faire — à** to hurt

malade sick

maladroit awkward, clumsy

malaise *m.* malaise, discomfort

malentendu *m.* misunderstanding

malgré in spite of, despite; **— tout** in spite of all, after all

malhabile clumsy

malheur *m.* unhappiness, misfortune

malheureu-x, -se unhappy, unfortunate

malice *f.* malice; harm, wrong

malle *f.* trunk

mallette *f.* small trunk

manche *f.* sleeve

manger to eat; **salle à —** dining room

manie *f.* mania; idiosyncracy

manière *f.* manner, way; **de — que** so that

manifester to manifest; **se —** to show oneself, appear, turn up

manœuvre *f.* manoeuver

manœuvrer to manoeuver; work, manipulate

manquer to lack, be lacking *or* missing; fail

manteau *m.* coat, cloak

manuel, -le manual

manuscrit *m.* manuscript

marchand *m.* merchant, dealer

marchandise *f.* merchandise

marche *f.* walking, walk; hike; step (*of stairs*); march; **se mettre en —** to start to walk, begin to move

marché *m.* market

marcher to walk; go along, cooperate

marée *f.* tide

marge *f.* margin

mari *m.* husband

marier to marry; **se —** to get married

marieu-x, -se given *or* inclined to marrying

marin marine; of a sailor

marine *f.* marine; **bleu —** navy blue

marini-er, -ère marine; of a sailor

marquer to mark

marteau *m.* hammer

masquer to mask

massi-f, -ve massive, huge

mastiquer to masticate, chew

mat, -te dull, flat

mât *m.* mast, pole

matière *f.* matter, material

matin *m.* morning; **au petit —** very early in the morning

matinée *f.* morning

maudire to curse

maure moorish, Arab

maussaderie *f.* crossness, sulkiness

mauvais bad

mauve mauve, lavender

méandre *m.* meander, winding

méchanceté *f.* meanness, wickedness

méchant mean, nasty

mécontentement *m.* discontent, displeasure

méditer to meditate on, consider

(se) méfier to distrust; be cautious, watch out

meilleur better; best

mélange *m.* mixture

mêler to mingle, mix

membre *m.* member; limb

même same; very; self; (*adv.*) even; **à —** level with, right on *or* from; **quand —** even so; **tout de —** all the same, even so

menacer to menace, threaten

ménage *m.* household

mener to lead, escort, take;

— grand train to lead a high life, make a rumpus

mensualité *f.* monthly payment

menthe *f.* mint

mentir to lie

menu small, slight

menuiserie *f.* carpentry

méprise *f.* misunderstanding

mer *f.* sea

merci thank you, thanks

messe *f.* mass

mesure *f.* measure; beat; **à — que** as

métier *m.* trade, job, occupation

métis, -se half-breed

mètre *m.* meter; yardstick

mettre (mettant, mis) to put (on); **—... à la porte** to put ... out; **— au jour** to reveal, uncover; **— en marche** to start; **se — à + *inf.*** to begin to; **se — à + *noun*** to set oneself to; **se — en colère** to become angry; **se — en marche** to start to walk, begin to move

meuble *m.* furniture, piece of furniture; **—s** *m. pl.* furniture

meubler to furnish, fill

meurtrier *m.* murderer

meurtrière *f.* slit-window, narrow window

mi- half-, mid-

midi *m.* noon; south

mieux better; **valoir —** to be better

mi-hauteur *f.* mid-height

milieu *m.* middle, midst

millier *m.* thousand

mimer to mimic

mimique *f.* pantomime; silent *or* dumb show

mince thin

mine *f.* look, appearance, air;

avoir bonne — to look well;
faire des —s to smirk, simper; **faire — de** to pretend
to, act as though
minér-al, -aux mineral
minuit *m.* midnight
minuscule minute, very small
minutieu-x, -se minute, detailed
miraculer to work a miracle
upon
misérable poor, poverty-stricken
misère *f.* poverty, lack; wretchedness
mixte mixed, mingled
mobiliser to mobilize
modestie *f.* modesty, modestness; smallness
moindre lesser; least, slightest
moine *m.* monk
moins less, fewer; **—... et plus
... the less ... the more ...;
au —, du —** at least; **le —**
(the) least, (the) fewest; **n'en...
pas —** nevertheless, nonetheless
mois *m.* month
moitié *f.* half; **à —** half-way
mollement softly; half-heartedly
monde *m.* world; society; **tout
le —** everybody
monotone monotonous
montagneu-x, -se mountainous
montée *f.* rise
monter to mount, rise, climb,
go up; take up
montre *f.* watch
montrer to show
moraine *f.* moraine (*hilly deposits left by glaciers*)
morceau, -x *m.* piece

mordre to bite
morne mournful, sad
morsure *f.* bite; kerf, saw cut
mort *f.* death
mot *m.* word
motif *m.* motif
motocyclette *f.* motorbike,
motorcycle
mou, mol, molle soft, yielding,
languid
mouche *f.* fly
mouiller to wet, soak
mouler to mold
mourir (mourant, mort) to die
mousquetaire *m.* musketeer
mousse *f.* moss; froth
moustache *f.* mustache
moustachu mustached
moutarde *f.* mustard
mouton *m.* sheep
moutonner to billow
mouvement *m.* movement,
motion
moyen *m.* means
muet, -te silent, mute
mulâtre *m.* mulatto
multicolore multicolored, many-
colored
munir to furnish, provide, equip
mur *m.* wall
muraille *f.* wall
musclé muscular
musée *m.* museum
musette *f.* musette bag, bag
mutisme *m.* silence

N

nage *f.* swimming
nager to swim
naissance *f.* birth
naître (naissant, né) to be born
naseau, -x *m.* nostril

nasiller to speak through the nose, make nasal sounds
naturel, -le natural; — *m.* naturalness, simplicity
naufrage *m.* shipwreck
nausée *f.* nausea
navigation *f.* navigation, sailing; trip
naviguer to navigate, travel
navire *m.* ship
né born; **dernier** — *m.* last born, youngest
négliger to neglect
négrillon *m.* negro child
neige *f.* snow
neigeu-x, -se snowy
nerf *m.* nerve
net, -te clean; clear, sharp
nettoyer to clean (up)
neu-f, -ve new
nez *m.* nose; **piquer du** — to dive, duck
ni neither, nor
niable deniable
niche *f.* niche, recess
nier to deny
niveau *m.* level
noce *f.* (*frequently used in pl.*) wedding; **voyage de** — honeymoon trip
nocturne nocturnal, of the night
nœud *m.* knot
noir black
noirci blackened
nom *m.* name
nombre *m.* number
nombreu-x, -se numerous; considerable
nommer to name
non no; — **plus** not either, neither
nonchalant nonchalant, calm; careless

nord *m.* north
nouer to knot
noueu-x, -se knotty
nourrir to nourish
nourriture *f.* food
nouve-au, -l, -lle, -aux, -lles new, fresh; **de** —, **à** — again, once more, anew; **la nouvelle année** New Year; —**-né** new-born child
nouvelle *f.* news, piece of news
noyer to drown
nu nude, naked, bare
nuage *m.* cloud
nuance *f.* nuance, shade; distinction
nuit *f.* night
nul, -le no, not any, none; —**le part** nowhere
nullement in no way, not at all
nuque *f.* nape, back of neck

O

obéir to obey
obèse obese, fat
objet *m.* object
obliger to oblige, force
oblique oblique, at an angle
obliquer to veer off
obscur obscure, dark; unclear, vague
obscurcir to obscure, darken
obscurité *f.* obscurity, darkness, dark
obstination *f.* obstinacy, stubbornness
obstiné obstinate, stubborn
obtenir (obtenant, obtenu) to obtain, get
obus *m.* shell (*military*)
occasion *f.* occasion, chance
occident *m.* occident, west

occuper to occupy; **s' — de** to be busy with, be in charge of, take care of
ocre ochre, yellow
odeur *f.* odor, scent, smell
odorant odoriferous, scented, fragrant
œil, *pl.* **yeux** *m.* eye
œuf *m.* egg
œuvre *f.* work; **—** *m.* complete works, work
offrande *f.* offering
offrir (offrant, offert) to offer
offusqué offended
oiseau, -x *m.* bird
oisi-f, -ve idle; useless
olympien, -ne Olympian, superior
ombrageu-x, -se suspicious, easily offended
ombre *f.* shadow, shade
onde *f.* wave
ondulation *f.* undulation, waving
ondulé undulating, wavy
or *m.* gold
ordinaire ordinary, common; **—** *m.* usual way, normal course
oreille *f.* ear; **tendre l'—** to listen attentively
organisation *f.* organization; system
orgue *m.* (*pl.: f.*) organ
orgueil *m.* pride
orné decorated
os *m.* bone
osciller to oscillate, move from side to side
oser to dare
osseu-x, -se bony
ostensiblement ostensibly, apparently
ou or; **— bien** or else

où where; when; in which
oubli *m.* forgetfulness
oublier to forget
oued *m.* wadi (*N. African river bed or ravine*)
ouest *m.* west
oui yes; **mais —** yes, certainly
ours *m.* bear
outil *m.* tool
outre beyond, further; besides; **— que** besides the fact that
ouvrage *m.* work
ouvri-er, -ère worker; workman; seamstress
ouvrir (ouvrant, ouvert) to open; **s'—** to unbosom oneself, reveal one's thoughts

P

pagne *m.* loincloth
paille *f.* straw
pain *m.* bread; loaf; **— de sucre** sugar loaf
paire *f.* pair
paisiblement peacefully
paître (paissant) to browse, graze
paix *f.* peace
palier *m.* landing
pâlir to pale, grow pale
palme *f.* palm branch, palm tree
palmeraie *f.* palm tree plantation *or* grove
palmier *m.* palm tree
pan *m.* loose part of a garment, fold; section (*of a wall*)
panique *f.* panic
pantalon *m.* pants; trousers
papier *m.* paper
paquet *m.* packet
par by, through; **— là** that way

paraître (paraissant, paru) to
seem, appear
parallélépipède *m.* parallelepi-
ped *(six-sided prism whose faces
are parallelograms)*
paravent *m.* screen
parbleu heavens
parce que because
parcimonieu-x, -se parsimoni-
ous, stingy, scanty
parcourir to travel over *or*
through; cover
par-delà over; beyond
par-dessus above; beyond; over
and above
pare-brise *m.* windshield
parent *m.* parent; relative
parfait perfect
parfois sometimes, occasion-
ally, now and then
parfum *m.* perfume, aroma
parler to speak
parmi among
paroi *f.* wall
parole *f.* speech; **prendre la —**
to speak
part *f.* part, share; side; **de — et
d'autre** on either side; **nulle
—** nowhere
partager to share; divide
partant therefore, consequently
particule *f.* particle
particuli-er, -ère particular;
private; special, peculiar; **— *m.***
private person, person
partie *f.* part
partir to leave, depart; **à — de**
beginning with, from
partout everywhere
parvenir to arrive, reach; succeed
parvis *m.* parvis *(space in front
of a church)*

pas *m.* step, pace; **— redoublé**
double-quick pace; **au —** at a
walk; **à petits —** with *or*
taking little steps, slowly; **du
même —** at the same pace *or*
speed
passage *m.* passage; passing
passager *m.* passenger
passeport *m.* passport
passer to pass; put on *(a garment)*; go; spend; **se — to happen,** take place; **se — de** to
do without
passeur *m.* ferryman
passionner to excite, rouse enthusiasm
paternel, -le paternal; of one's
father
patiemment patiently
patienter to have patience, wait
patiently
patiner to skate
patron *m.* owner, boss
patrouiller to patrol
patte *f.* paw, foot, leg
pâturage *m.* pasture, grazing
land
paume *f.* palm
paupière *f.* eyelid; **battre les
— s** to blink
pauvre poor
pauvreté *f.* poverty
pavé *m.* paving stone
pavillon *m.* pavilion; lodge
pays *m.* country
paysage *m.* countryside, landscape
peau *f.* skin
pêcheur *m.* fisherman
peindre (peignant, peint) to
paint
peine *f.* pain, trouble, difficulty,
sorrow; **à —** hardly, barely;

**ce n'est pas la — ** don't bother; **faire de la — ** to hurt

peiner to labor; hurt

peintre *m.* painter; **— en bâtiment** house painter

peinture *f.* paint, painting

pelé peeled; bald

pèlerin *m.* pilgrim

penché bent, bending, leaning; tilted; **— de toute sa taille** bending far over

pencher to bend, lean

pendant during, for; **— que** while

penderie *f.* hanging wardrobe

pendre to hang

pénétrer to penetrate, enter

pénible painful

pénitent *m.* penitent

pénombre *f.* half-light

pensée *f.* thought

penser to think; **— à** to think of, about

pension *f.* boarding house; **être en — ** to board, be boarded

pente *f.* slope

pénurie *f.* penury, lack, shortage

percale *f.* percale (*fine closely-woven cotton fabric*)

perçant piercing

percevoir (percevant, perçu) to perceive

perche *f.* pole

perchoir *m.* perch, roost

perdre to lose; **— de vue** to lose sight of

père *m.* father

péremptoirement peremptorily, positively, dogmatically

perfectionné perfected; specially improved *or* designed

périmé obsolete, out-of-date

périodique periodical

permettre (permettant, permis) to permit

pérorer to perorate, make a speech

persévérance *f.* perseverance, persistence

persienne *f.* Venetian shutter (*outside wooden or iron shutter pierced with horizontal slits to let in light and air*)

personnage *m.* person

personne *f.* person; *pl.* people; body; **ne... —, —... ne** no one; **ne... — que** no one but

perte *f.* loss; **à — de vue** as far as the eye can (could) see

pervenche *f.* periwinkle, myrtle

pesamment heavily

pesant heavy

pesée *f.* weighing; pressure

peser to weigh; **— à** to weigh on, upon

pétard *m.* firecracker

petit small, little; petty; **au — matin** very early in the morning; **le — déjeuner** breakfast

pétrir to knead

pétrole *m.* oil, petroleum, kerosene

pétrolier *m.* (oil) tanker

peu little, few; **— à — ** little by little; **à — près** nearly, almost

peuple *m.* people, common people

peur *f.* fear; **avoir — ** to be afraid; **faire — ** to frighten

peut-être perhaps

phare *m.* headlight

philanthropie *f.* philanthropy, charity

phrase *f.* sentence

phrasé phrased
pièce *f.* piece; room; — **commune** common room, living room
pied *m.* foot; base; **à** — on foot; **coup de** — kick; **sur la pointe des** —**s** on tiptoe
pierre *f.* stone
pierreu-x, -se stony
piétinement *m.* stepping, trampling, stamping
piétiner to stamp, trample
pilier *m.* pillar, column
piment *m.* pimento
pinceau, -x *m.* (*artist's*) brush
piquant stinging, sharp
piquer to prick, sting; fleck; — **du nez** to dive, duck
piquet *m.* picket
pis worse; worst; **tant** — so much the worse, too bad, it can't be helped
piste *f.* trail
placard *m.* cupboard; locker
place *f.* place, space, seat; square; **sauter sur** — to jump up and down; **sur** — without moving (*away*)
placer to place, put
plafond *m.* ceiling
plage *f.* beach
plagiaire *m.* plagiarist
plain plane, level; **de**— -**pied** on a level, on the same floor
plaindre (plaignant, plaint) to pity; **se** — to complain
plaire (plaisant, plu) to please
plaisanter to joke, tease
plaisir *m.* pleasure
plan *m.* plan, plane; **le dernier** — background (*painting*)
planche *f.* plank, board
plancher *m.* floor

plante *f.* plant; sole (*of foot*)
planter to plant, put down, set down
plaque *f.* plate, slab, sheet
plastique plastic
plat flat; — *m.* flat, flat part; dish, plate
plateau, —**x** *m.* plateau, tray
plein full; **en** —... in the midst of . . .
pleur *m.* tear, weeping, crying
pleurer to weep, cry
pleuvoir (pleuvant, plu) to rain
plier to fold, bend
plisser to fold, crease, wrinkle
plomb *m.* lead; fuse
plonger to plunge
pluie *f.* rain
plume *f.* feather; pen; nib
plupart *f.* most, majority
plus more; — **jamais** never again; **de** — moreover, in addition, more, additional; **de en** — more and more; **le** — most; **ne** — no more, no longer; **ne** —... **que** only . . . any longer
plusieurs several
plutôt rather
pneu *m.* tire
poche *f.* pocket
poêle *m.* stove
poids *m.* weight
poignant poignant, affecting
poignée *f.* handful; handle
poignet *m.* wrist
poil *m.* hair
poilu hairy
poing *m.* fist
point *m.* point; **être sur le** — **de** + *inf.* to be about to + *inf.*

pointe *f.* point; **sur la — des pieds** on tiptoe
pointer to point, aim
pointu pointed
poitrine *f.* breast, chest
polaire polar
poli polite
policier *m.* policeman
politique *f.* politics
pomper to pump, pump up
pont *m.* bridge
pont-levis *m.* drawbridge
porc *m.* pork
porche *m.* porch
port *m.* port
porte *f.* door; doorway; gate; entrance; **mettre... à la porte** to put ... out
portée *f.* range; **à — within range**
portefeuille *m.* wallet
porte-plume *m.* pen holder
porter to carry; wear
porteur *m.* porter, carrier, bearer
portière *f.* door
portugais Portuguese
posément quietly, calmly
poser to pose, place; set down
possédé *m.* possessed man, man possessed with a spirit
posséder to possess
poster to mail
poteau, -x *m.* post
poudreu-x, -se dusty, covered with dust *or* powder
poule *f.* chicken
poumon *m.* lung
pour for; in order to; **— que** so that, in order that
pourquoi why
pourri rotted, rotten, decayed
poursuite *f.* pursuit

pourtant however, yet
pourvu que provided that
pousser to push; utter; grow; drive, urge
poussière *f.* dust; **— de sciure** sawdust
poussiéreu-x, -se dusty
poutre *f.* beam
pouvoir (pouvant, pu) to be able; can, could; may, might; **se —** to be possible
préau, -x *m.* covered area
précipitamment precipitately, hurriedly
précipiter to precipitate; hurry
préciser to specify, make precise
prédicateur *m.* preacher
préjudice *m.* prejudice; **au — de** to the prejudice *or* detriment of
premi-er, -ère first; leading; **— étage** second floor; **à la — ère heure** very early
prendre (prenant, pris) to take; seize; **— à charge** to take upon oneself; **—... à témoin** to call ... to witness; **— en charge** to take in charge; **— la parole** to speak; **— rendez-vous** to make an appointment; **— ses dispositions pour** to make preparations to, get ready to
prénom *m.* first name
préoccupé preoccupied; lost in thought
près (de) near; **à peu —** nearly, almost
présentation *f.* presentation; format; introduction
présenter to present, introduce; show
presque almost

pressé hurried, pressed, in a hurry
presser to press; hurry
prestement quickly
prêt ready
prétendre to claim
prêter to lend
preuve *f.* proof
prévenir (prévenant, prévenu) to forewarn; forestall
prévoir (prévoyant, prévu) to foresee
prier to pray, beg, ask; **je t'en prie** please
prière *f.* prayer
principalement principally, mainly
principe *m.* principle
printemps *m.* spring
prisonnier *m.* prisoner
priver to deprive
prix *m.* price, value; **au — fort** at top price, list price
procéder to proceed
prochain next; forthcoming
proche near; nearby
prodiguer to shower, lavish
profil *m.* profile
profond profound, deep
profondeur *f.* depth, depths
progrès *m.* progress
progresser to progress, advance
projet *m.* project
prolifique prolific, highly productive *or* reproductive
prolonger to prolong, extend, continue
promenade *f.* trip, walk, ride
promener to walk
promesse *f.* promise
promettre (promettant, promis) to promise
prononcer to pronounce, say

propice propitious, suitable, good
propos *m.* remark; **à —** by the way
propre clean; own (*before noun*)
propriétaire *m.* proprietor, owner
propriété *f.* property
protéger to protect
protestation *f.* protestation, protest
protester to protest, declare
provision *f.* provision; *pl.* provisions, supplies
provisoirement provisionally, for the moment
publicité *f.* publicity, advertising
publier to publish
pudeur *f.* modesty
puis then, afterwards, next
puiser to fetch, get, dig into
puisque since, because
puissance *f.* power
puissant powerful
puits *m.* well
pulmonaire pulmonary; pertaining to the lungs
punir to punish
punition *f.* punishment
pur pure

Q

quand when; **— même** even so
quant à as for, in regard to
quart *m.* quarter
quartier *m.* quarter, district, area
quasi quasi, like, almost
que: ne... — only; **ne... jamais —** never except; **ne... pas —**

not only; **ne... personne —** no one but; **ne... plus —** only . . . any longer; **ne... rien —** nothing except *or* but

quel, -le, -s, -les what; what a

quelque some, a few

quelqu'un, -e, quelques-uns, quelques-unes some one; some; — *pl.* some, a few

qu'est-ce que what? — **c'est** what is it?

quinquet *m.* lamp

quinzaine *f.* fifteen or so, about fifteen

quitter to leave, abandon

quoi what; **sans —** otherwise

quoique although

quotidien, -ne daily

R

rabattre to lower

râblé sturdy, thick-set

raboter to plane

raccommoder to mend

raccrocher to hang up again

raconter to recount, tell

racine *f.* root

raclé scraped

radeau *m.* raft

radieu-x, -se radiant

rafale *f.* gust, burst

rafia *m.* raffia

rafraîchir to refresh

rage *f.* rage, madness

raide stiff; steep

raidillon *m.* steep path

raidir to stiffen

raie *f.* stripe

raison *f.* reason; **avoir —** to be right; **en — de** by reason of, because of

raisonnable reasonable

ralentir to slow, slow down

ramassé gathered, picked up; **les épaules — es** with shoulders hunched

ramasser to pick up, gather; **se —** to roll oneself up

ramener to bring back, pull back, draw back *or* up

rampe *f.* parapet, ramp

rançon *f.* ransom; price

rang *m.* row

rangée *f.* row

ranger to put in order, put in its place, straighten up *or* out; **se —** to make room, arrange oneself

raphia *m.* raffia

rapiécé patched

rappeler to recall, remind

rapprocher to bring near; **se —** to draw near

rare rare, infrequent, scanty

rareté *f.* rarity; scarcity, paucity

ras *m.* level; **a — de** level with, flush with

raser to shave

rassasier to sate, fill, satiate, gorge

rassemblé gathered

(se) rasséréner to become (more) calm

rassurer to reassure

rauque hoarse

ravi delighted

raviné gullied

(se) raviser to change one's mind

ravissant charming, delightful

ravitaillement *m.* supplies, provisions

ravitailler to restock, supply

réapparaître (réapparaissant, réapparu) to reappear

rebelle rebellious

rebondissant bounding, bouncing

rebord *m.* edge; sill

réception *f.* reception, receiving

récepteur *m.* receiver

recevoir (recevant, reçu) to receive

réchauffer to heat, warm

recherche *f.* research, search; **à la — de** in search of, seeking

rechercher to look for

récit *m.* tale, story, account

réclamer to demand, call for; **se — de** to make use of the name of, claim the backing of

récolte *f.* harvest

récolter to harvest

recommencer to begin again *or* over

récompenser to recompense, reward

reconnaissance *f.* gratitude, gratefulness

reconnaître (reconnaissant, reconnu) to recognize

recoucher to put to bed again

recoudre to resew, sew back on

recouvrir (recouvrant, recouvert) to recover, cover

(se) récrier cry out against; exclaim, express one's admiration

recroquevillé shriveled up, hunched up

recueil *m.* collection

recuire (recuisant, recuit) to bake again

(à) reculons backwards

récupération *f.* recovery

redescendre to come down again, come back down

redevenir (redevenant, redevenu) to become again

redresser to stand (up again), sit (up again), straighten (up)

réduit *m.* little nook, corner

réduire (reduisant, réduit) to reduce

refermer to reclose, close again

réfléchir to reflect

refléter to reflect

réformé rejected for military service

refroidir to cool

refus *m.* refusal

regagner to regain, go back to

regard *m.* look, glance; **jeter un — ** to glance

regarder to look at, watch

règle *f.* rule; **en — ** in order

régler to settle

régner to reign

regorger to overflow

regretter to regret, be sorry

réguli-er, -ère regular

rein *m.* kidney; **—s** *m. pl.* small of the back, loin

rejoindre (rejoignant, rejoint) to rejoin, join, meet

(se) réjouir to rejoice, delight

relâchement *m.* relaxation, falling off

relais *m.* relay, stage; **— gastronomique** excellent restaurant

relayé relieved, replaced

relever to raise, raise again; pick up; **se — ** to stand up (again)

relier to join, connect

remâcher to chew (again)

remarquer to notice; **faire — ** to point out

remblai *m.* embankment

remercier to thank, say thank-you

remettre to put back on; hand

in; **se — à** to begin again, start again; **se — en marche** to start up again

remise *f.* shed

remonter to rise (again), go *or* come back (up)

remontrance *f.* remonstrance; reproof

rempart *m.* rampart, wall

remplacer to replace

remplir to fill, refill, fulfill

remue-ménage *m.* bustle, commotion

remuer to move, stir

renaître to be born again; reawaken

rencontre *f.* encounter, meeting **à sa —** to meet one (him, her)

rencontrer to meet, encounter

rendez-vous *m.* meeting, appointment; **prendre —** to make an appointment

rendormir to put back to sleep

rendre to render, return, give back; make; **— grâces** to give thanks, thank; **— visite à** to visit; **se — à** to go to; **se — compte** to understand, be aware

rendu rendered; **— rendu** *m.* account, review

renégat *m.* renegade, one who deserts to a hostile faith

renflé swollen

renforcer to reinforce, strengthen

renfort *m.* reinforcement

renfrogné frowning

renifler to sniff

renoncer to renounce, give up

renouveller to renew

renseigner to inform

rente *f.* income

rentrée *f.* return; reopening of school

rentrer to re-enter, go back in, return, get back

renversé fallen backwards, tipped over *or* back

renvoyer to send back, return; send away

réparer to repair

repartir to set out again

repas *m.* meal

repasser to iron

repiquer to stick back

replier to refold, fold back up

répondre to answer, reply

réponse *f.* answer

reposant restful, relaxing

reposer to rest

repousser to repulse, push back

reprendre (reprenant, repris) to take again, retake, resume, pick up again, begin again; recapture

représenter to represent; point out

reprise *f.* resumption

repriser to mend

reprocher to reproach

reproduire (reproduisant, reproduit) to reproduce

réserve *f.* reserve, reservation

résolument resolutely

résonner to resound

respiration *f.* respiration, breathing; breath

respirer to breathe

ressembler to resemble, look like

ressentir to feel; **se —** to feel the effects, suffer

resserrer to squeeze, tighten

resservir to serve again

ressortir to go out again

restaurant   *m.* restaurant, dining-room
reste *m.* rest, remains; **du —, au — ** moreover
rester to remain
restreint restrained, restricted
retard *m.* delay; **en — ** late
retenir (retenant, retenu) to restrain, hold back; retain, hold
retentir to resound, ring out
réticent reticent; full of reservations
retirer to retire, withdraw, pull back; extract
retomber to fall again, fall back, fall
retour *m.* return
retourner to go back, return; turn; turn again; **se — ** to turn (back) around
retraite *f.* retreat, retirement
retrancher to cut off
rétrécir to shrink
rétribution *f.* retribution, wage, pay
retrouver to find again, meet
réunion *f.* meeting
réunir to reunite, unite; meet, join
réussir to succeed
réussite *f.* success
revanche *f.* revenge; **en — ** in revenge; on the other hand
réveiller to wake
révéler to reveal
revenir (revenant, revenu) to come back, turn back, return
rêver to dream, imagine, muse
rêverie *f.* reverie, dreaming, day-dreaming
rêveu-r, -se dreamy; meditative
revient *m.* cost
revue *f.* review

revoir to see again, see once more; revise
révoltant revolting
rhabiller to re-dress, dress (again)
rhume *m.* cold
richesse *f.* richness; **—s** *f. pl.* riches, wealth
ridé wrinkled
rideau, -x *m.* curtain
ridicule ridiculous
rien nothing, not anything; anything; **— du tout** nothing at all; **— que** nothing but *or* except
rieu-r, -se laughing
rigole *f.* trench, gutter; **— d'écoulement** drain
rigueur *f.* rigor; **à la — ** in a pinch, if necessary
ripolin *m.* brand of very brilliant enamel
rire to laugh; **éclater de — ** to burst out laughing; **— ** *m.* laugh, laughter
risquer to risk, run the risk of
rivaliser to rival, vie
rive *f.* bank
river to rivet
riz *m.* rice
robinet *m.* faucet
robuste robust, hardy
roche *f.* rock
rocheu-x, -se rocky
rôder to prowl
rompre to break
rond round
rond *m.* round, circle; **tourner en — ** to walk in a circle
ronflement *m.* snoring
ronger to nibble at
rose pink
roseau, -x *m.* reed, rush

rosir to grow pink
rotin *m.* rattan (*kind of palm*)
roue *f.* wheel
rouge red
rougeâtre reddish
rougeoyant reddish, reddening
rougeoyer to redden
rougir to redden, blush
rouillé rusted
roulant rolling; sliding
rouler to roll, travel; turn
route *f.* route, road
rouvrir (rouvrant, rouvert) to reopen
royaume *m.* kingdom
rude rough
rue *f.* street; **grande —** main street
rugir to roar
ruiné ruined, ravaged
ruisseler to stream, to be soaked
rumeur *f.* rumor; noise
rusé sly, crafty
rythmé rhythmic
rythmer to beat out the rhythm, give rhythm to

S

sable *m.* sand
sableu-x, -se sandy
sabot *m.* wooden shoe; hoof
sabre *m.* saber
sac *m.* handbag, sack; **être dans le même —** to be in the same boat
saccade *f.* jerk
saccadé jerky
sadique sadistic
sage wise; good; quiet
saignant bleeding
saillant protruding, prominent

saisir to seize; **se — de** to grab, take
saison *f.* season
salaire *m.* salary
sale dirty
saleté *f.* filth, mess
sali dirtied
salive *f.* saliva
salle *f.* room; **— à manger** dining room; **— de classe** classroom
saluer to greet, salute; say hello *or* good-by to
salut *m.* greeting; hello; good-by
salutation *f.* greeting
samedi Saturday
sang *m.* blood
sanglant bloody, bleeding
sanglot *m.* sob
sans without; **— cesse** unceasingly, continually; **— quoi** otherwise
santé *f.* health
sarment *m.* shoot (*of a grapevine*)
satisfaire (satisfaisant, satisfait) to satisfy
sauf except
saute *f.* sudden change (*in direction of the wind*)
sauter to jump, leap; **— sur place** to jump up and down
sauvage savage, wild
sauver to save; **se —** to run away
savoir (sachant, su) to know (how to); be able; **à —** namely; **faire —** to tell, inform
savonner to soap
schiste *m.* schist, crystalline rock
scie *f.* saw
scintiller to scintillate, sparkle
sciure *f.* sawdust; **poussière de —** sawdust

sec, sèche   dry; sharp
sécher   to dry
sécheresse *f.*   drought, dryness
séchoir *m.*   drying rack; — **de linge**   laundry rack
secouer   to shake, jostle
secours *m.*   help
secousse *f.*   shake, jolt
séduct-eur, -rice   seductive, alluring, appealing
séduire (séduisant, séduit)   to seduce; delight, entrance
seigneur *m.*   lord, nobleman
séjour *m.*   stay, visit
sel *m.*   salt
selle *f.*   saddle
selon   according to
semaine *f.*   week
semblant *m.*   semblance
sembler   to seem
sens *m.*   meaning; sense; direction
sensible   sensitive; considerable
sentier *m.*   path
sentiment *m.*   sentiment, feeling
sentir   to feel, sense, touch, smell (of)
serge *m.*   serge
serpe *f.*   pruning hook
serré   squeezed, narrow, clenched
serrer   to squeeze, grip, tie, clench, tighten, clasp
serrure *f.*   lock
serviette *f.*   napkin; towel
servir   to serve; — **à**   to be useful for, used for, good for; serve for; — **de**   to serve as; **se —**   to help oneself
serviteur *m.*   servant
setter *m.*   setter (*dog*)
seuil *m.*   threshold, doorway
seul   alone, only, lone
sève *f.*   sap

si   if; whether; so; such; yes
siècle *m.*   century
le sien, la -ne, les -s, les -nes   his, hers, its; his *or* her family *or* people, *etc.*
sifflement *m.*   whistling
siffler   to whistle
signalé   signaled, indicated
signe *m.*   sign
signer   to sign
silencieu-x, -se   silent
sillon *m.*   furrow
singuli-er, -ère   singular, strange
sinon   if not, unless
société *f.*   society; company; incorporated business firm
soigner   to take care of, care for
soigneusement   carefully
soin *m.*   care; **avec —**   carefully
soir *m.*   evening
soirée *f.*   evening
soit   so be it; —... —...   either ... or ...
sol *m.*   soil, earth, ground
soldat *m.*   soldier
soleil *m.*   sun
solennel, -le   solemn
solidaire   solidary; at one with
solitaire   solitary
solliciter   to solicit, incite, entreat
sombre   somber, dark
somme *f.*   sum; **en —**   in sum; after all
sommeil *m.*   sleep
sommet *m.*   summit, top
sommier *m.*   (spring) mattress
somnabulique   of *or* pertaining to a sleepwalker
somnolent   somnolent, half-asleep
son *m.*   sound

songe *m.* dream
songer to dream; think
sonné crazy (*slang*)
sonner to ring; — **à toute volée** to peal forth
sonnerie *f.* bell; ringing
sonore sonorous
sort *m.* fate
sortie *f.* exit; going out
sortir to go out, take out, come out; — *m.* going out; **au — de** on going out
soubresaut *m.* jerk
souci *m.* care; **prendre — de** to worry about, trouble oneself about
soudain sudden, suddenly
soudure *f.* solder, weld, joint
souffle *m.* breath, breathing
souffler to blow, puff; whisper; breathe hard
souffrir (souffrant, souffert) to suffer
souhaiter to wish
souillé soiled, dirtied
soulagement *m.* relief
soulager to relieve
soulever to raise; **se —** to rise; revolt
soulier *m.* shoe
souligné underlined, emphasized
soumettre (soumettant, soumis) to submit
soupçon *m.* suspicion; hint
soupçonner to suspect
soupçonneu-x, -se suspicious
soupente *f.* garret, loft
soupirer to sigh
souple supple
sourcil *m.* eyebrow; **froncement de —** frown
sourd deaf; muffled, dull
sourire to smile; — *m.* smile

sous under
soutenir (soutenant, soutenu) to uphold, sustain, hold up, support
souvenir *m.* memory
souvent often
souverain sovereign
soyeu-x, -se silky
spacieu-x, -se spacious
spongieu-x, -se spongy
sport *m.* sport, sports
sporti-f, -ve sporting
stalle *f.* stall
steppe *f.* plain, steppe
stopper to stop
subi undergone, experienced
subit sudden
submerger to submerge
succéder to succeed, follow; **se — ** to follow one another
succès *m.* success
sucre *m.* sugar; **pain de —** sugar loaf
sucré sugared
sud *m.* south
sueur *f.* perspiration, sweat
suffire (suffisant, suffi) to be sufficient, enough
suffisance *f.* complacency, smugness
suffisant sufficient
suggérer to suggest
suite *f.* suite, sequel, succession; **à la — de** behind, following; **tout de —** at once
suivre (suivant, suivi) to follow
sujet *m.* subject
superposer to superpose, place one on top of another
supplémentaire supplementary, extra, additional
supplier to beg
supporter to stand, endure

sur   on, concerning, about, over
sûr   sure
surcroît *m.*   addition
surfait   overrated
surgir   to rise, come into view, burst out, spring
surlendemain *m.*   two days later
surmonter   to surmount, overcome
surplis *m.*   surplice (*clerical outer vestment*)
surplomber   to overhang, hang over
surprendre (surprenant, surpris)   to surprise
surprise *f.*   surprise; **boîte à —s** jack-in-the-box
sursaut *m.*   jump, start
sursauter   to start, jump
surtout   especially, above all
syllabe *f.*   syllable
sympathie *f.*   feeling of liking; sympathy
syndical   of *or* to the union
syndicat *m.*   union

T

tableau, -x *m.*   picture; blackboard; **— de bord** instrument panel, dashboard; **— noir** blackboard
tablette *f.*   shelf; **— escamotable**   removable shelf
tabouret *m.*   footstool
tache *f.*   spot, stain
tâche *f.*   task, job
taciturne   taciturn, silent
taille *f.*   size; figure; waist; **penché de toute sa —** bending far over
taillé   cut; sculptured; trimmed
taillis *m.*   thicket

(se) taire (taisant, tu)   to be silent, become silent, stop talking
talon *m.*   heel
talus *m.*   talus, embankment
tambour *m.*   drum
tandis que   whereas, while
tanguer   to pitch (*of a boat*)
tanné   tanned
tant   so much, so many; as much, as many; **— pis** so much the worse, too bad, it can't be helped; **— que** so long as; **en — que** as, in the quality *or* role of
tapis *m.*   rug
tapissé   papered; covered
tard   late
tarder   to delay
tarir   to dry up
tas *m.*   heap, pile
tasse *f.*   cup
tassé   pressed down, hunched down
tâter   to feel
tâtonner   to feel, grope
(à) tâtons   by feeling *or* touch; fumblingly
tel, -le   such
témoignage *m.*   evidence; testimonial
témoin *m.*   witness; **prendre... à —**   to call . . . to witness
tempe *f.*   temple
tempérer   to temper
tempête *f.*   tempest, storm
temps *m.*   weather; time; **à —** in time; **de — en —** from time to time; **en même —** at the same time
tendre   to stretch, strain; extend, hold out; **— l'oreille** to listen attentively
tendresse *f.* tenderness, affection

ténèbres *f. pl.* darkness

tenir (tenant, tenu) to hold (out), grasp; keep; be contained, fit, occupy; — **à** to be anxious to, care about, be due to; — **compte** to take account; — **un discours à** to address, hold forth to; **se** — to be, stand; **être tenu de** to be required to

tenorino *m.* little tenor; light tenor singing in a falsetto

tentation *f.* temptation

tenter to tempt; attempt, try

tenture *f.* hanging, drape

terminer to terminate, finish

terrain *m.* ground; **gagner du —** to gain ground, make headway

terrasse *f.* terrace; flat roof

terre *f.* earth, land; world

terre-plein *m.* open space, terrace

terreu-x, -se dirty, covered with dirt, grubby

tête *f.* head

thé *m.* tea

théière *f.* tea pot

théorie *f.* theory; procession

tiède warm

le tien, la -ne, les -s, les -nes yours; your family *or* people, *etc.*

timbre *m.* bell

tintement *m.* ringing, tinkling

tirer to draw, pull; **s'en —** to manage all right, recover

tiroir *m.* drawer

tissu *m.* textile, cloth, yard goods

titre *m.* title

toile *f.* cloth; canvas (*painting*); — **bise** unbleached linen

toilette *f.* washstand; washing up; toilet; **faire sa —** to wash, wash up

toit *m.* roof

tôle *f.* sheet metal

tombant falling, drooping

tombe *f.* tomb, grave

tomber to fall

ton *m.* tone

tonnelier *m.* cooper, barrel maker

tonnellerie *f.* cooper's shop, barrel-making shop

tonnerre *m.* thunder

torchis *m.* clay

torréfié torrefied, roasted

torse *m.* torso, upper part of the body

tôt early

toujours always, still

toupie *f.* top

tour *m.* turn

tour *f.* tower

tourmenté tormented

tourmente *f.* tempest, storm

tourmenter to torture, molest; **se —** to worry

tourner to turn; — **en rond** to walk in a circle; **se —** to turn around, turn oneself

tournée *f.* trip, tour, circuit

tourniquet *m.* tourniquet; swivel holder

tournoyer to whirl round

tousser to cough

tout all, whole, entire; any; every; (*adv.*) very; — **à fait** wholly, entirely; — **à l'heure** shortly, recently; — **ce qui (que)** everything; — **de même** all the same, even so; — **de suite** at once; — **en** + *pres. part.* while; — **le monde** everybody; **tous deux** both; **à —e allure** very rapidly; **en — cas** in any case

tracer to trace; draw

traction *f.* traction, tension
train *m.* train; **en —** in hand; **être en — de** to be in the midst of; **mener grand —** to lead a high life, make a rumpus
traîner to drag
trait *m.* trait, feature
traiter to treat
trajet *m.* trip, journey
tranchant *m.* edge
tranche *f.* slice
trancher to cut (in two), slice; settle (a question)
tranquil, -le tranquil, peaceful, calm
transe *f.* trance
transfigurer to transfigure; illumine
transmettre (transmettant, transmis) to transmit
transporter to transport; carry away, delight
trav-ail, -aux *m.* work
travailler to work
travers: à — through, across
traverser to cross, traverse
trébucher to stumble, stagger
tremblant trembling; flickering
trentaine *f.* around thirty
trépidant shaking, excited
très very
trésor *m.* treasure
tréteau, -x *m.* stand; trestle
trêve *f.* truce; rest, relief; **sans — ** ceaselessly
tricot *m.* sweater, jersey
tricoter to knit
tringle *f.* rod, bar
triste sad
tristesse *f.* sadness, sorrow
tromper to deceive, betray, be unfaithful to

trôner to be enthroned
trop too, too much
trophée *m.* trophy
trou *m.* hole
trouble uneasy, disturbed; **—** *m.* uneasiness, disturbance
troué full of holes
trouée *f.* gap
troupeau, -x *m.* flock, herd
trouver to find; **se —** to be (*place*)
tuer to kill
tuile *f.* tile
tuteur *m.* guardian; support, stake (*gardening*)

U

un, -e a, an; one; **— à —** one by one; **encore —** another; **les —s** some, **les —s des autres** from one another
unique single, sole, unique
unité *f.* unit; troop
urbain urban, city
urubu *m.* urubu (*black vulture*)
usagé used, worn out
user to use; **en — avec** to behave

V

vacances *f. pl.* vacation, vacations
vacarme *m.* noise, uproar, hubbub
vaciller to vacillate; reel
vague *f.* wave
vaguement vaguely
vaincre (vainquant, vaincu) to conquer, defeat
vaisselle *f.* dishes, utensils
valise *f.* suitcase, valise

valoir to be worth; — **mieux** to be better; **faire** — to talk up, display, show off

vanter to praise; **se** — to boast

vareuse *f.* jacket, pea-jacket

varié varied

varlope *f.* plane

végét-al, -aux vegetal, of vegetable(s)

véhicule *m.* vehicle

veille *f.* evening before

veilleur *m.* watchman

velours *m.* velvet

velu hairy

vendre to sell

venir (venant, venu) to come; — **au-devant de** to come to meet; — **de** to have just

vent *m.* wind

vente *f.* sale, selling

ventre *m.* belly

venu *m.* comer; **nouveau** — newcomer

venue *f.* coming; arrival

véreu-x, -se wormy, worm-eaten, rotten

vérifier to verify, check

vérité *f.* truth; **à la** —, **en** — in truth, in fact

verre *m.* glass; drink

verrière *f.* window

verrou *m.* bolt

vers toward

verser to pour

vert green

vertige *m.* vertigo, dizziness

vertigineu-x, -se vertiginous, dizzying

vertu *f.* virtue

veste *f.* coat, jacket

vestiaire *m.* cloakroom; dressing room

vêtement *m.* clothes, clothing, garment

vêtu dressed

veuve *f.* widow

viande *f.* meat

vibrer to vibrate

vidange *f.* changing the oil

vide empty; — *m.* void, emptiness, vacuum

vider to empty

vie *f.* life

vieillesse *f.* old age, age

vieillir to age, grow old

vierge virgin; **vigne** — Virginia creeper

vieux, vieil, vieille old, ancient

vi-f, -ve lively, sharp, bright

vigne *f.* vine; — **vierge** Virginia creeper

ville *f.* city, town

vin *m.* wine

vingtaine *f.* approximately twenty, twenty or so

violer to violate, rape

violet, -te purple, violet

violon *m.* violin

virer to swerve

visage *m.* face

visiblement visibly, obviously

visite *f.* visit; **rendre** — **à** to visit

vite quickly

vitesse *f.* speed

vitrage *m.* glazing; glass window

vitre *m.* pane, window, glass

vitré glassed, glazed

vitrine *f.* shopwindow

vivement sharply; quickly

vivre (vivant, vécu) to live

vocation *f.* vocation; calling

vociférant shouting, yelling

voie *f.* way, road, route; — **ferrée** railroad

voilà there is, there are; here is, here are; I'm coming (*in answer to bell or knock*); there

voile *m.* veil

voir to see; — **clair** to see clearly; **faire —** to show

voisin *m.* neighbor

voisiner to be close, adjoin

voiture *f.* car, coach, vehicle

voix *f.* voice

vol *m.* flight

volée *f.* flight; peal; **sonner à toute —** to peel forth

volet *m.* shutter

volonté *f.* will

volubile voluble, fluent

vomir to vomit

voracité *f.* voracity, greed; **avec —** greedily

vouloir to wish, want; — **bien** to be willing; — **dire** to mean;

en — à to bear a grudge against

voûté vaulted; bent over

voyage *m.* voyage, trip; — **de noces** honeymoon trip; **en —** on a trip

voyager to travel

voyageur *m.* traveller

vrai true, real; — *m.* truth

vrombir to whine

vue *f.* view; sight; **à perte de —** as far as the eye can (could) see

Y

y there; to it, to them; **il — a** there is, there are

yeux (*pl. of* œil) eyes

Z

zébu *m.* zebu (*humped ox*)

3.75
4√1̄5̄